Hernandes Dias Lopes

Conquistando o coração dos filhos através da oração

2ª edição revisada e ampliada

hagnos

2ª edição: novembro de 2019
5ª reimpressão: janeiro de 2025

Revisão: Josemar de Souza Pinto
Diagramação: Sonia Peticov
Capa: Douglas Lucas
Editor: Aldo Menezes
Coordenador de produção: Mauro Terrengui
Impressão e acabamento: Imprensa da Fé

Editora Hagnos Ltda.
Rua Geraldo Flausino Gomes, 42, conj. 41
CEP 04575-060 — São Paulo, SP
Tel.: (11) 5990-3308

E-mail: editorial@hagnos.com.br | Home page: www.hagnos.com.br
Editora associada à Associação Brasileira de Direitos Reprográficos (ABDR)

Dados Internacionais de Catalogação na Publicação (CIP)

Lopes, Hernandes Dias

Mães intercessoras: conquistando o coração dos filhos através da oração / Hernandes Dias Lopes.— 2. ed. rev. ampl. — São Paulo: Hagnos, 2019.

ISBN 978-85-24305-85-6

1. Mães — Vida religiosa 2. Oração de intercessão 3. Vida cristã I. Título

19-1945 CDD 248:8431

Índices para catálogo sistemático:

1. Mães — Oração de intercessão — Cristianismo
Angélica Ilacqua CRB-8/7057

Dedico este opúsculo à minha querida sogra, Leopoldina Rosa Pimentel (*In memoriam*), uma mulher sábia, uma mãe amorosa, uma intercessora incansável, uma amiga sempre presente, um modelo de vida piedosa, uma bênção na minha vida, família e ministério.

Sumário

Prefácio

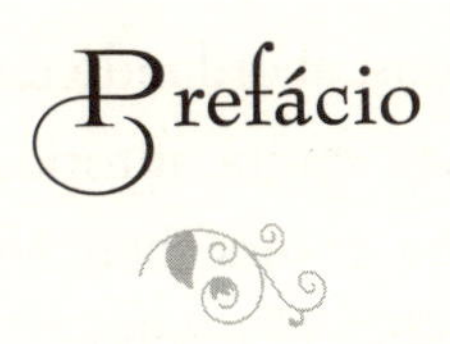

Falar sobre intercessão tem sido o meu tema preferido nestes últimos anos, dado o meu envolvimento com o ministério de intercessão pelas nações, ministério que o Senhor me confiou há nove anos.

Senti-me honrada em ser convidada para prefaciar este novo livro do reverendo Hernandes. Conheci seus pais, e tive a honra de conviver com eles, quando meu marido foi pastor de sua família. Ele era ainda muito jovem. Não tinha ido ainda para o Seminário, mas já manifestava as características de um verdadeiro e fiel servo de Deus.

Os anos se passaram, e muito tempo depois tive o prazer de reencontrá-lo, agora como pastor. Senti quanto Deus o amava e como o Senhor pretendia usá-lo na sua obra. Deus tem confirmado isso na vida do rev. Hernandes, tanto como pastor, pregador e escritor. Como pastor, ele ama muito as suas ovelhas, e é amado por elas. Como pregador, é um erudito e entusiasmado expositor da Palavra de Deus. Ele prega com unção, humildade e submissão ao senhorio de Cristo, na inteira dependência e poder do Espírito Santo. Como escritor,

é um valente de Deus, abordando temas atuais, vibrantes e espirituais, com muita autoridade e clareza. Seus livros têm sido uma grande bênção na minha vida e para a igreja evangélica brasileira.

Mães intercessoras vem despertar as mães para se levantarem como reparadoras de brechas, como intercessoras de uma geração que carece desesperadamente da graça de Deus. Por intermédio da nossa intercessão, a Igreja será despertada e revestida de poder, o fogo do Espírito cairá e o mundo será abençoado como foi no Pentecostes. Temos uma promessa no livro do profeta Isaías que diz: *Porque derramarei água sobre o sedento e torrentes sobre a terra seca; derramarei o meu Espírito, sobre a tua posteridade e a minha bênção, sobre os teus descendentes* (Isaías 44:3). Quando os intercessores exercerem o seu ministério em favor de todos os povos, Deus derramará o seu Espírito como torrentes sobre a terra seca. Os pecadores se converterão, haverá um clamor de arrependimento, as nossas orações subirão até o trono da graça pelo novo e vivo caminho, o sangue do Cordeiro, corações serão quebrantados, lares serão entregues a Deus, o povo de Deus será santificado, as fortalezas de Satanás que prendem muitos serão destruídas e haverá tempos de refrigério na presença do Senhor.

Mãe, esta promessa é para nós e para os nossos filhos. A segunda parte do versículo diz: "Derramarei o

meu Espírito, sobre a tua posteridade e a minha bênção, sobre os teus descendentes" (Isaías 44:3). Mãe intercessora, esposa intercessora, atente para esta verdade. Tome posse desta promessa, pois quem fez a promessa é fiel, é o Deus que não pode mentir, o que Ele prometeu vai cumprir. Coloque-se na brecha em favor do seu marido e dos seus filhos. Esta é a nossa esperança: "Deus derramará". O nosso Deus é soberano e opera todas as coisas segundo o conselho da sua vontade. Mãe intercessora, Deus não omite os nossos descendentes! Ele diz: *sobre a tua posteridade, sobre os teus descendentes*. A promessa é para nós e para os nossos filhos.

Deus procura mães intercessoras, mães que se coloquem na brecha em favor de seus filhos para que sua justa ira não os atinja. Deus procura mães abnegadas, dedicadas e que chorem inconformadas com a vida moral e espiritual dos seus filhos. Deus procura mães que intercedam pela santificação de seus filhos e que tenham coragem de devolver e consagrá-los para a obra missionária. Deus procura mães que, como Ana, permaneçam em oração, derramando a sua alma diante do Senhor até receber a resposta, "vai-te em paz, e o Deus de Israel te conceda a petição que lhe fizeste" (1Samuel 1:17). Deus procura mães que sabem que os seus filhos são herança dele que ousam devolver o melhor que têm para Ele. Deus procura mães intercessoras que estejam prontas a consagrar seus filhos, dizendo: "Senhor, eu estou aqui, e

os filhos que o Senhor me deu são teus; eu os devolvo a ti. Toma-os e usa-os para a glória do teu nome".

Mãe, Deus ouve, Ele aceita as nossas orações e responde a elas, e muitas vezes leva o seu filho ou a sua filha para bem longe, bem distante de você. Mas, fique descansada. Ele cuidará de cada um e suprirá todas as suas necessidades, como um Pai amoroso. A Ele glória, honra e poder, pois Ele é digno.

Ofereci e consagrei todos os meus filhos ao Senhor, Ele aceitou a oferta e desde então tenho passado por muitos apertos e sustos, mas também tenho presenciado grandes livramentos e o cuidado de Deus tanto na minha vida como na vida dos meus filhos. Meu filho caçula, Ronaldo Lidório, é um missionário transcultural. Deus o tem usado grandemente em Gana, na África, onde plantou catorze igrejas em cinco anos, com mais de três mil pessoas convertidas. Ele tem traduzido a Bíblia para aquele povo outrora intocado pelo evangelho. Ronaldo tem passado por grandes tempestades, mas Deus tem cuidado dele a cada dia, durante toda a sua vida, nas lides do ministério.

Ele era recém-casado, recém-formado, quando foi ao Peru para fazer uma pesquisa entre o povo quéchua, na cordilheira dos Andes. Estava na igreja para entregar a mensagem. Após o louvor, passaram-lhe a palavra, e ele abriu a Bíblia no salmo 23 e começou a ler. Antes de terminar a leitura, entrou um grupo de guerrilheiros,

encapuzados e armados com armas pesadas. Era um grupo do Sendero Luminoso, terroristas temidos naquela região. Alguém já havia dito a Ronaldo que, quando eles levavam alguém, essa pessoa nunca voltava com vida. Ronaldo foi capturado com dois jovens da igreja. Eles foram levados para serem executados junto a outros que também foram aprisionados.

No trajeto da igreja até o local da execução, ele conta que conversava com Deus acerca do que estava acontecendo, e à sua mente vinha: "Não se volta com vida". Ele começou a pensar nas pregações que fazia e nos ensinamentos que passava para os seus alunos no Seminário, dizendo que os mártires caminhavam para o sacrifício com alegria e grande paz no coração. Mas ele não sentia paz para morrer. Então, pediu ao Senhor no meio de toda aquela confusão que Ele enchesse o seu coração de paz e fez um voto: "Se Deus não conceder paz ao meu coração e eu sair daqui com vida, nunca mais falarei sobre missões. Mas, se Deus me conceder paz e eu sentir alegria em morrer pelo nome de Jesus e sair daqui com vida, continuarei falando sobre missões e fazendo missões". Naquela hora, o Senhor inundou a sua alma de paz e serenidade diante daquela situação1que aos olhos humanos era irreversível. Ele orou e entregou sua vida a Deus, dizendo: "Senhor, meu ministério foi curto, não tive filhos, cuida dos meus queridos. Entrego a ti a minha vida".

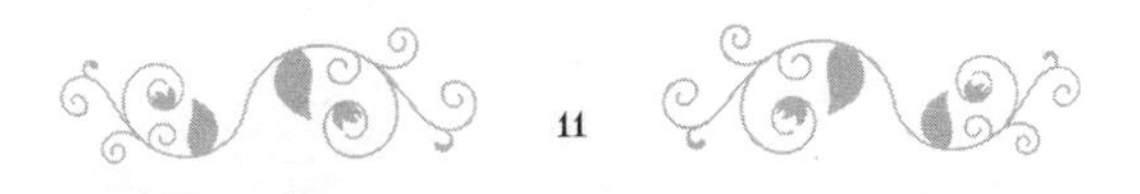

Nesse exato momento, já na hora da execução, surge um homem gritando, entra no meio de todos, vai até Ronaldo, puxa-o e empurra-o para dentro de uma caminhonete, sob os protestos, gritaria, xingamentos e tiros por todos os lados. Era o pai de um dos guerrilheiros que Ronaldo havia evangelizado. Ele ficou sabendo e foi até lá, e Ronaldo saiu são e salvo. Os rapazes, infelizmente, foram executados, mas Ronaldo escapou com vida para a glória de Deus, para fazer, falar e escrever sobre missões.

Estou contando este fato porque naquela noite, em minha casa, eu não conciliava o sono. Nem sequer consegui ficar deitada. Alguma coisa me incomodava demais. Era uma angústia na alma. Eu ajoelhava, me levantava, prostrava-me com a boca no pó, perguntava ao Senhor o que estava acontecendo comigo, pois meu coração estava angustiado e intranquilo.

Eu dizia para o Senhor: "Meu Deus, seja o que for que estiver acontecendo agora, eu sei que o Senhor está no controle. Dá paz ao meu coração e envia o Teu anjo para proteger o meu filho Ronaldo onde ele estiver agora". Chegou a madrugada, o dia foi clareando, e o meu coração começou a aquietar, e eu me tranquilizei. Foi justamente na hora em que o Senhor enviou o seu anjo para arrancá-lo das mãos dos guerrilheiros e levá-lo a salvo até a igreja. Deus é fiel. Deus atende às nossas orações. Ronaldo escreveu o seu primeiro livro, *Missões:*

o desafio continua. E Deus continua usando o seu servo na obra missionária, para a glória do seu nome.

Mãe, Deus ouve e atende às nossas orações! O desafio continua. Vamos interceder. Vamos ter noites de vigília e derramar nossas lágrimas aos pés do Senhor. Vamos celebrar manhãs de bênçãos e de vitórias na presença do Senhor!

EUZA LIDÓRIO

Introdução

Os grandes atos libertadores de Deus na História têm sido realizados em resposta às orações do seu povo. Deus é soberano. Ele faz todas as coisas conforme o conselho da sua vontade. Quando Ele age, ninguém pode impedir a sua mão. Quando Ele fala, ninguém pode resistir à sua voz. Quando Ele se manifesta, ninguém pode se esconder da sua presença. Os poderes da terra são consumada fraqueza diante da onipotência divina. Em comparação à majestade de Deus, todas as nações são consideradas como um pingo que cai em um balde ou como pó numa balança de precisão. Aos olhos do Deus supremo, as superpotências mundiais, os exércitos munidos de armas nucleares e todos os arsenais construídos pela habilidade humana são como um vácuo, como menos do que nada. Não há nada nem ninguém que possa ser comparado ao Deus Todo-poderoso. Ele é revestido de glória. Só Ele é Deus, não há outro. Ele é quem dirige a História. Ele é quem levanta reis e depõe reis. Ele é quem ergue nações e também as abate. Ele é quem está assentado na sala de

comando do universo e faz todas as coisas de acordo com a sua vontade e para o louvor da sua glória.

A soberania de Deus, entretanto, não exclui a responsabilidade humana. O mesmo Deus que estabeleceu o fim de todas as coisas, também elegeu os meios. Aquele que está assentado no trono determinou agir em resposta às orações do seu povo. A soberania de Deus não exclui a nossa responsabilidade como intercessores. O fato de Deus saber todas as coisas não nos isenta da oração. O avivalista e fundador do metodismo, John Wesley, afirmava que tudo o que Deus faz, Ele o faz em resposta às orações do seu povo. O soberano Deus decidiu nos incluir em seus planos e constituir-nos seus cooperadores nesta grande obra.

O profeta Ezequiel registra que quando a nação de Israel estava numa crise política, econômica, social, moral e espiritual, ameaçada de ir para o cativeiro babilônico, Deus olhou do céu, procurou um homem, pelo menos, que pudesse colocar-se a favor da nação e não encontrou um sequer. A nação, então, foi para o cativeiro. De outra feita, quando o povo estava na escravidão, no Egito, debaixo de avassaladora opressão e opróbrio, diz a Bíblia que o povo clamou e Deus ouviu e conheceu a aflição daqueles que estavam gemendo debaixo do chicote dos carrascos. Em resposta às orações daquela nação oprimida, Deus desceu para quebrar o jugo pesado do inimigo e libertar o seu povo.

Quando essa mesma nação, cruzando o deserto do Sinai, voltou as costas para Deus em ingrata deserção e apostasia do amor, fazendo para si um bezerro de ouro, adorando-o e atribuindo a ele os atos libertários de Deus, a ira do Senhor se acendeu contra eles. Deus, ultrajado e rejeitado pela nação ingrata, disse que iria destruir aquela geração e começar um novo povo por meio da linhagem de Moisés. Esse homem, como um reparador de brechas, levantou-se bravamente, humildemente, incansavelmente, em fervorosa intercessão e disse: "Deus, perdoa o pecado deste povo, senão risca o meu nome do livro que escreveste". E Deus poupou toda a nação por causa da oração de um único intercessor.

Jesus Cristo, o Unigênito Filho de Deus, não apenas praticou uma intensa vida de oração durante os anos do seu ministério, mas ainda exerce essa gloriosa obra intercessora junto ao trono de Deus, em favor dos remidos. Quando o diabo nos acusa diante de Deus, Jesus intercede por nós, apresentando ao Pai todos os efeitos da sua morte em nosso favor. O próprio Espírito Santo, que nos regenerou e vive em nós, intercede por nós, com gemidos inexprimíveis, assistindo-nos em nossas fraquezas. Sua intercessão é intensa, perseverante e eficaz. Assim, na própria divindade, temos dois intercessores: Jesus Cristo, o nosso intercessor legal, junto ao trono de Deus, intercedendo por nós, e o Espírito Santo, nosso

intercessor existencial, no nosso interior, intercedendo por nós com gemidos inexprimíveis.

Sendo a oração um instrumento tão tremendo estabelecido por Deus, é de vital importância que as mães se levantem como intercessoras. O mundo está precisando de mães intercessoras. Os filhos estão necessitando de mães intercessoras. Deus está procurando mães intercessoras. O mundo conhece muitas mulheres famosas, muitas mulheres bonitas e muitas mulheres ricas, mas a nossa maior necessidade é de mulheres intercessoras. Se as mães falharem, a família naufragará. Se as mães abandonarem o seu posto, a sociedade se corromperá. Se as mães não forem intercessoras fervorosas, o país mergulhará numa crise de consequências eternas.

Nesses últimos tempos, temos visto um grande mover de Deus no Brasil, por meio do movimento Desperta, Débora. Deus tem levantado milhares de mães intercessoras em todo o Brasil e em várias partes do mundo que não têm descansado, clamando aos céus com todo o fervor em favor de seus filhos, para que eles sejam uma geração de compromisso. Milagres extraordinários da graça de Deus têm acontecido em muitas famílias. Quando as mães se colocam de joelhos, o inferno treme. Quando as mães derramam suas lágrimas em favor de seus filhos, os céus se movem em intervenções portentosas e Deus Se manifesta gloriosamente.

Quando as mães se colocam na brecha, coisas poderosas acontecem na terra.

Nossa fervente oração é que haja um profundo reavivamento de oração entre as mães e que elas se ponham de joelhos em favor dos seus filhos até vê-los restaurados e usados com poder nas mãos do Senhor.

1

Deus está procurando mães que encontrem tempo para orar pelos seus filhos

Quando oramos pouco, não é por causa da falta de tempo, mas pela falta de prioridade. Temos tempo para tudo o que nos é importante.

A pressa é o sinal distintivo da nossa geração. Vivemos sob a pressão do urgente. Não temos mais tempo. Corremos o dia todo. Acordamos cedo e vamos dormir tarde. Vivemos sob o peso do estresse, da agenda congestionada. Os pais não têm tempo para os filhos. O trabalho está ocupando todo o tempo da família. O dinheiro passou a ser mais importante do que os relacionamentos. O lar se transformou num albergue, onde as pessoas só se encontram para dormir. Os relacionamentos estão em frangalhos porque a família deixou de ser prioridade. As coisas urgentes tomaram o lugar das coisas importantes. O diálogo está morrendo dentro das famílias. A televisão ocupou o lugar do altar de oração nos lares. A família já não tem mais tempo para orar, para ler a Bíblia e para cantar louvores a Deus. As migalhas de tempo que lhe sobejam são utilizadas com banalidades e conversas vazias ou mesmo com o silêncio sepulcral. Os pais e os filhos estão vivendo isolados debaixo do mesmo teto. Os filhos fazem dos seus quartos um lugar de fuga da comunhão familiar.

Estamos levantando muralhas de separação dentro de casa em vez de construirmos pontes de contato.

Precisamos de mães que passem tempo com seus filhos, de mães que falem de Deus para os seus filhos, mas, sobretudo, de mães que falem dos seus filhos para Deus. Abraham Lincoln disse que as mãos que embalam o berço governam o mundo. Mas jamais teremos uma geração comprometida com Deus e com os valores do Reino de Deus se não tivermos mães intercessoras. Necessitamos de mães que conheçam Deus na intimidade, mães que vivam na presença de Deus, mães que derramem seu coração diante do Senhor em fervente oração. Precisamos de mães que busquem mais a salvação e a santificação dos seus filhos do que o sucesso deles. Precisamos de mães que passem mais tempo no altar da intercessão pelos filhos do que nas academias de ginástica. Precisamos de mães que desejem ardentemente que seus filhos sejam mais filhos de Deus do que seus próprios.

A maior influência que uma mãe pode exercer na vida dos seus filhos é por meio da intercessão. O maior investimento que uma mãe pode fazer na vida dos filhos é orar por eles. A maior defesa que uma mãe pode realizar a favor dos filhos é diante do trono da graça de Deus. Precisamos de mães que se coloquem na brecha em favor dos filhos. Precisamos de mães que invistam tempo na oração em favor dos filhos. Quando oramos

pouco, não é por causa da falta de tempo, mas pela falta de prioridade. Temos tempo para tudo o que nos é importante. Agendamos tudo aquilo que para nós é prioridade. Devemos organizar a nossa vida de oração. Devemos colocar a oração no topo da nossa lista de prioridades.

Se você não preparar a sua vida de oração, não vai orar. Se Deus não for a prioridade da sua vida, você não vai orar. Talvez você tenha boas razões para justificar a sua negligência na oração. Talvez esteja muito comprometida com a agenda congestionada para ter um tempo sistemático de oração. Se você está tão ocupada a ponto de não ter tempo para orar, você está ocupada demais. Talvez seu pecado seja o ativismo. Talvez as coisas, o trabalho, a casa e o dinheiro estejam ocupando o lugar central de Deus na sua vida.

A Bíblia fala de um homem muito rico, chamado Jó. Ele era fazendeiro. Ele tinha bens para cuidar, muitos empregados para administrar, muitos negócios para resolver. Mas Jó tinha tempo para orar pelos seus dez filhos. Ele se levantava de madrugada para orar por eles. As primícias do seu tempo eram oferecidas a Deus em favor dos seus filhos. Ele não cessava de colocar cada um deles no altar de Deus. Susanna Wesley tinha 19 filhos e ela nunca abriu mão de ter uma hora de oração por dia em favor deles. Essa hora era sagrada para ela. Seus filhos não ousavam interrompê-la, porque

sabiam que ela estava de joelhos no seu quarto derramando a sua alma diante de Deus em favor de cada um deles. Aquela mulher piedosa legou ao mundo um dos maiores avivalistas do século 18, John Wesley, e um dos mais consagrados músicos evangélicos, Charles Wesley. Precisamos de mães que mesmo na agitação da vida moderna tenham tempo para buscar a Deus em favor dos filhos.

Quero desafiar você, mãe, a organizar o seu momento de oração. A reservar aquela hora sagrada de fechar a porta do seu quarto e estar a sós com o Senhor em secreta e proveitosa hora de oração. O maior bem que você pode fazer à sua família é ser uma ardorosa intercessora. A melhor maneira de você investir o seu tempo é interceder pelos seus filhos. A melhor maneira de você derramar as suas lágrimas é na presença do Senhor em favor dos seus filhos.

Em 1997, estive na Coreia do Sul visitando onze igrejas em Seul. Visitei igrejas de 10 mil, 12 mil, 18 mil, 30 mil, 55 mil, 82 mil e 700 mil membros. O que mais marcou a minha vida naquela visita foi ver o compromisso da igreja evangélica coreana com a oração. Todas as igrejas evangélicas têm reuniões diárias de oração pelas madrugadas. Mesmo no inverno rigoroso, com a temperatura abaixo de zero, as igrejas ficam repletas de pessoas sedentas de Deus. A importância da oração não está retratada apenas nos seus manuais de teologia, mas

na prioridade de suas agendas. Quando perguntei a um pastor coreano por que eles oravam de madrugada e se aquele era apenas um hábito dos orientais, ele me respondeu que em todos os lugares do mundo as pessoas levantam-se cedo para cuidar dos seus interesses; eles, contudo, levantavam-se de madrugada para orar, porque Deus é prioridade na vida deles.

Nossa geração desaprendeu o exercício da oração. Estamos lutando com armas carnais, e não usando as armas espirituais que são poderosas em Deus. As mães de hoje precisam aprender a orar pelos seus filhos, a chorar por eles diante de Deus, a colocá-los no altar de Deus por meio da oração e a não abrir mão da vida deles. Uma das mais doces lembranças da minha infância era levantar-me de madrugada e ver minha mãe ajoelhada aos pés da sua cama orando pelos seus filhos. Algumas vezes, ela levantava-se e ia para o quintal e lá, sob o brilho cintilante do luar e sob a abóbada crivada de estrelas luzidias, derramava a sua alma diante de Deus. Ah! Eu reconheço que sou fruto das orações de minha preciosa mãe!

2

Deus está procurando mães que não desistam de orar pelos seus filhos

O silêncio de Jesus
testa a nossa têmpera
espiritual, prova o grau da
nossa perseverança.

O caminho da oração, embora glorioso, não é fácil de ser percorrido. Muitos que se propuseram a ter uma vida fervorosa e intensa de oração desistiram no meio do caminho. Às vezes, é fácil começar; difícil é perseverar na oração. Não gostamos de orar. Orar é um dos mais árduos exercícios espirituais. É mais fácil ser um ativista do que uma pessoa consagrada à oração. Orar é uma das mais renhidas batalhas que travamos. Muitos são aqueles que falam de oração, mas poucos são os que oram. Muitos pregam sobre a oração, mas poucos são os que oram. Muitos são aqueles que dizem crer no poder da oração, mas poucos são os que oram efetivamente. Talvez você já tenha perdido o ânimo de orar. Talvez sua vida de oração seja tão pobre quanto a vida espiritual que você leva. Talvez você já teve uma vida de oração mais fervorosa, mas agora seu coração está seco e sua vida, sem frutos. Talvez você se lembre dos dias em que sua alma banqueteava na presença de Deus, e hoje há um vazio em seu interior. Talvez você já foi uma reparadora de brechas, uma intercessora, mas

agora está como uma vinha murcha, precisando de restauração. Talvez você já lutou com Deus em favor dos seus filhos, já chorou por eles, já jejuou em favor deles e batia constantemente junto aos portais da graça, clamando a Deus pela restauração dos seus filhos, mas hoje você está enfraquecida, sem esperança e sem ânimo para prosseguir.

Mônica orou cerca de quarenta anos pela conversão de seu filho Agostinho. Ele era um jovem devasso e completamente resistente ao evangelho. Ela jamais desistiu de esperar um milagre de Deus na vida do seu filho. Noite e dia, ela clamava a Deus pela conversão dele. Depois de quase quarenta anos de luta, de choro, de oração, Agostinho foi convertido. Ambrósio, amigo da família, disse que um filho de tantas lágrimas não poderia se perder. Agostinho foi o maior expoente da Igreja entre o período dos apóstolos e os reformadores. Ele foi o maior teólogo que a Igreja já produziu depois do apóstolo Paulo, fonte de inspiração para os grandes luminares da teologia reformada, como Lutero e Calvino.

A Bíblia fala de uma mãe que se apresentou a Jesus para clamar em favor da sua filha. Ela era uma gentia. Era uma estrangeira. Sua filha estava possessa de um espírito maligno, padecendo nas mãos iníquas dos demônios. Aquela mãe estava desesperada. Então, no auge da sua angústia, ela vai a Jesus. Ela encontrou vários obstáculos, mas perseverou em sua busca e não abriu mão da libertação da filha.

Em primeiro lugar, *ela enfrentou a rejeição dos discípulos de Jesus que queriam que o Mestre a despedisse.* Ela foi rejeitada por aqueles que deveriam acolhê-la. Ela foi incompreendida por aqueles que deveriam cercá-la de cuidado e amor. Ela foi expulsa por aqueles que deveriam abraçá-la.

Em segundo lugar, *ela enfrentou o silêncio de Jesus.* Diante do seu clamor, o Senhor nada lhe respondeu. O silêncio do Mestre muitas vezes é pedagógico. O silêncio de Jesus tem uma expressão poderosa e eloquente. O silêncio de Jesus testa a nossa têmpera espiritual, prova o grau da nossa perseverança.

Em terceiro lugar, *ela enfrentou a demora de Jesus.* Jesus não a atendeu de imediato. Ela não foi atendida no tempo que queria. A demora de Deus às vezes nos exercita no caminho da perseverança na oração.

Em quarto lugar, *ela revelou profunda humildade em sua oração.* Jesus disse que não é lícito tirar o pão dos filhos e lançá-los aos cachorrinhos. Ela não se exaspera, não perde o controle, não se insurge rebelada contra Jesus. Mas se humilha, dizendo: *Sim, Senhor, porém os cachorrinhos comem das migalhas que caem da mesa dos seus donos.* Ela tem uma causa a defender. Tem uma necessidade a ser resolvida. Tem um pedido a ser

feito. Ela não desiste e se recusa a ir embora de mãos vazias. Ela persevera na oração.

Em quinto lugar, *ela demonstrou profunda empatia em seu clamor*. Ela não ora: "Senhor, socorre a minha filha", mas "Senhor, socorre-me". O problema da sua filha era o seu problema. A dor da sua filha era a sua dor. O drama da sua filha era o seu drama. Ela e sua filha eram uma pessoa só. Ela não faz um pedido mecânico, frio. Havia paixão em seu pedido. Havia urgência na sua voz. Havia amor no seu coração. É com essa intensidade de alma que devemos orar pelos nossos filhos. Jesus não apenas enalteceu a sua fé, mas também atendeu-lhe o pedido e sua filha ficou liberta e curada.

Jim Cymbala é um obreiro cujos frutos aparecem. Ele é pastor do Tabernáculo do Brooklin, em Nova York. Sua igreja estava crescendo extraordinariamente. Sua esposa, na liderança da música, testemunhava verdadeiros prodígios de Deus. Pecadores estavam se convertendo, cativos estavam sendo libertos, doentes estavam sendo curados e a mão de Deus a cada dia operava maravilhas. Até o dia em que Jim começou a perceber que a sua filha primogênita estava se tornando resistente e avessa ao evangelho. A adolescente começou a viver uma vida estranha, de rebeldia, mundanismo e pecado. Não demorou muito, ela se rebelou contra seus pais e saiu de casa, mergulhando na escuridão do pecado. Seus pais choraram, sofreram, pediram que ela voltasse, mas ela estava cada vez mais insensível à voz do Espírito de Deus.

Jim Cymbala e sua esposa começaram a definhar. A angústia tomou conta do coração deles. Alguns amigos chegaram a dizer que eles deveriam desistir de procurar a filha. Contudo, num culto de vigília na igreja, uma irmã interrompeu o pastor Cymbala em seu sermão e disse que a igreja deveria levantar um clamor pela sua filha. A igreja, então, fez um grande círculo de oração dentro do santuário, e eles começaram a gemer e a chorar diante de Deus pela vida da filha do pastor. Aquele santuário transformou-se numa sala de parto, onde as dores e os gemidos eram expressos em agonia diante de Deus. Quando o pastor retornou para sua casa na manhã do outro dia, ele disse à sua esposa: "Se há um Deus no céu, nossa filha foi liberta hoje".

No dia seguinte, enquanto ele se preparava, a campainha tocou e a filha entrou em prantos e se ajoelhou aos pés do seu pai, soluçando, quebrantada, transformada pelo poder de Deus. Imediatamente, ela perguntou ao pai o que havia ocorrido na noite anterior, pois fora tomada por uma profunda convicção de pecado e sem qualquer explicação, de repente, se viu chorando amargamente aos pés de Jesus, confessando os seus pecados. Aquela moça foi liberta, foi salva, em resposta às orações!

Não desista de orar pelos seus filhos. Não abra mão de vê-los no altar de Deus. Você não gerou filhos para o cativeiro. Você não gerou filhos para a morte. Você não gerou filhos para povoar o inferno. Seus filhos são herança de Deus. Eles são filhos da promessa. Lute por eles, chore por eles, ore por eles, jejue por eles, até vê-los como coroas de glória nas mãos do Senhor.

3

Deus está procurando mães que ousem consagrar os seus filhos pela oração

Os nossos filhos...
devem viver para realizar
os projetos de Deus, e não
os nossos. Eles devem ser
coroas de glória nas mãos
do Senhor, e não troféus
da nossa vaidade.

Temos muitos sonhos em relação aos nossos filhos. Muitas vezes, projetamos para a vida deles desejos que não conseguimos realizar na vida. Queremos que os nossos filhos resgatem essa dívida e que sejam o que não fomos, que conquistem o que não conquistamos, que alcancem as vitórias que não celebramos. Como os pais de João Batista, constantemente perguntamos: "O que virá a ser este(a) menino(a)?" Como os pais de Sansão, queremos saber como será o modo de vida de nossos filhos e até mesmo a profissão deles, antes mesmo de eles virem ao mundo.

Investimos nos nossos filhos, procurando dar-lhes a melhor educação, colocando-os nas melhores escolas, pois desejamos que tenham sucesso na vida. Queremos que eles alcancem as melhores notas na escola, que eles passem no vestibular com destaque, que eles galguem os bancos da universidade como heróis.

Desdobramo-nos para ver os nossos filhos vencendo na vida. Não poupamos esforços para vê-los alcançar o topo da realização profissional. Ficamos empapuçados

de orgulho ao ver o sucesso dos filhos. Festejamos com hilariante entusiasmo suas vitórias. Temos orgulho de apresentá-los como os nossos troféus. A grande questão é se estamos consagrando os nossos filhos a Deus com o mesmo entusiasmo. A coisa mais importante não é que os nossos filhos realizem os sonhos do nosso coração nem mesmo os sonhos do coração deles, mas que realizem os sonhos do coração de Deus. Precisamos de mães que ousem dedicar os seus filhos a Deus.

Nasci num lar pobre. Minha mãe era praticamente analfabeta. Ela nunca se assentou num banco de escola. Ela aprendeu a ler sozinha na Bíblia. Quando ela estava grávida do seu último filho, ficou enferma. Ela morava numa região rural, onde não havia carro nem estradas. A única maneira de socorrer um doente era carregá-lo de padiola por mais de vinte quilômetros, onde morava um farmacêutico. Meu pai entendeu que minha mãe não aguentaria esse tipo de viagem. Então, ele mandou chamar o farmacêutico. Minha mãe já estava à beira da morte. Quando ele a examinou, disse para o meu pai: “Este caso não tem solução. Ela vai morrer”. Diante da perplexidade de meu pai, ele disse que a única solução para poupar a vida dela era provocar um aborto e sacrificar a vida da criança. O farmacêutico foi categórico: “Se ela continuar com essa gravidez, morre ela e a criança”. Minha mãe ouviu a conversa, chamou o meu pai, reuniu todas as forças que ainda lhe restavam

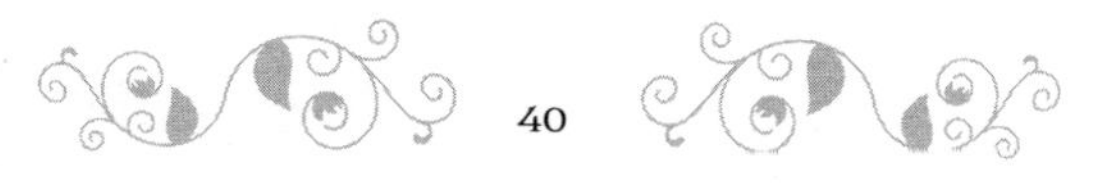

e disse no seu ouvido: "Eu prefiro dar a minha vida pelo meu filho. Eu morro, mas não quero que ele morra. Se ele tiver de morrer, que eu morra com ele, pois não abro mão da sua vida". Naquele momento de angústia, minha mãe fez um voto a Deus, dizendo: "Deus, se o Senhor poupar a minha vida e a vida do meu filho, eu o consagro ao Senhor para ser um pregador da tua Palavra e um pastor de almas". Deus ouviu a minha mãe, e eu nasci. Cresci na roça e desde cedo comecei a trabalhar na lavoura.

Onde eu morava só tinha a escola primária. Não havia como prosseguir nos estudos. Mas eu tinha um grande sonho. Eu queria estudar. Deus abriu as portas e, aos 12 anos de idade, saí da casa dos meus pais e fui para a cidade estudar. Meu grande sonho era ser advogado e político. E, quando eu tinha todos esses sonhos fervilhando em minha mente, aos 18 anos, Deus me chamou para o ministério. Sou pastor há vinte anos. Minha mãe nunca havia me contado sobre o seu compromisso com o Senhor, porque ela queria que Ele próprio me chamasse e confirmasse no meu coração a vocação ministerial. Minha querida mãe morreu no dia 28 de novembro de 1995. Mas, antes de partir para o Senhor, ela me chamou a sua casa e contou-me que minha vida era fruto de um sonho, de um compromisso que ela havia assumido com Deus. E me disse mais: "Meu filho, todas as madrugadas, quando você estava

no Seminário, eu saía da minha cama e ia para o meu quintal, e ali ajoelhava-me, no orvalho, para interceder por você". Então, abracei minha mãe e chorei com ela, dizendo-lhe: "Mãe, hoje a senhora me ensina a maior lição da minha vida. Estou agora certo de que muito mais importante do que realizar os meus sonhos, é realizar os sonhos do coração de Deus". O que sou hoje, devo à minha mãe. Ela ousou consagrar-me a Deus, e não há melhor lugar no mundo onde estar do que no centro da vontade de Deus.

A Bíblia nos fala sobre Ana. Ela era estéril. Ana tinha um grande sonho, o sonho de ser mãe. Sua doença, além de não ter cura, era considerada um opróbrio. As pessoas ao seu redor tentavam demovê-la do seu sonho. A sua rival, Penina, a provocava excessivamente, trazendo amargura para a sua alma. O sacerdote Eli a acusou de bêbada dentro da Casa do Senhor. O seu marido tentou dissuadi-la do seu sonho de ser mãe. Por todos os lados que Ana andava, encontrava alguém conspirando contra o seu sonho de ser mãe. Na verdade, Deus havia cerrado a sua madre e a deixado estéril. Deus adiou o sonho de Ana para que ela entendesse que o Senhor é melhor do que as suas próprias bênçãos. Deus adiou o sonho de Ana para que ela pudesse entender que Ele nos dá filhos para que os consagremos de volta a Ele. O Senhor adiou o sonho de Ana, porque os sonhos dele eram maiores do que

os seus próprios sonhos. Ela apenas queria ser mãe, mas Ele queria que ela fosse mãe do maior profeta, do maior sacerdote e do maior juiz daquela geração. Deus curou Ana quando Ana creu na sua Palavra. Ele curou as emoções de Ana, bem como o ventre de Ana. Mas, antes de Ana receber o milagre da cura, ela havia feito um voto a Deus. Ela prometera consagrar o seu filho a Deus. O Senhor ouviu a sua oração. Ela concebeu e deu à luz Samuel, e, quando ele foi desmamado, Ana o trouxe ao templo e o consagrou a Deus por todos os dias da sua vida. Samuel foi uma bênção nas mãos do Senhor, um grande intercessor, porque por trás dele havia uma mãe intercessora, que queria que seu filho realizasse não apenas os seus sonhos, mas, sobretudo, os sonhos do coração de Deus.

Uma das mais belas páginas da história evangélica do nosso país começou além-fronteiras. O missionário pioneiro do presbiterianismo no Brasil foi Ashbel Green Simonton. Ele chegou ao Brasil no dia 12 de agosto de 1859, com 26 anos de idade. Seu pai era presbítero, médico e deputado federal. Quando Simonton, o nono filho, o caçula, nasceu, seus pais o levaram à igreja e o consagraram ao Senhor, dizendo: "Deus, nós consagramos o nosso filho caçula para a Tua obra". O menino cresceu e tornou-se um jovem de rara inteligência. Na juventude, recebeu o chamado de Deus para o ministério e logo entrou no Seminário de Princeton, em

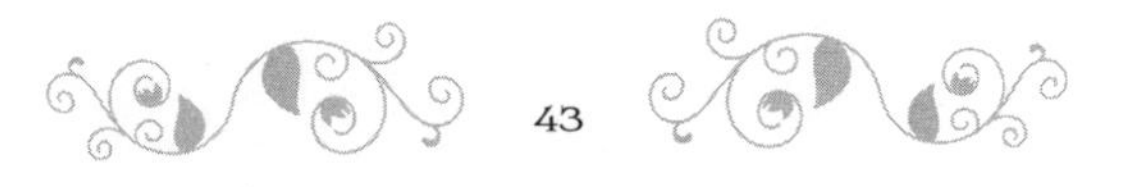

Nova Jersey, Estados Unidos. Fez um curso brilhante. Quando terminou os estudos, Deus o chamou para ser missionário no Brasil. Muitos tentaram demovê-lo dessa ideia, dizendo: "Simonton, você é louco em deixar a sua mãe já idosa, seu país, sua cidade, seus amigos, seus parentes, sua igreja, o conforto e as regalias desta terra, para ir para um país tão distante, tão pobre e devastado por doenças endêmicas. Isso não é seguro para você". Mas Simonton respondeu: "Não há lugar mais perigoso para um homem, ainda que cercado de conforto, do que fora da vontade de Deus. Não há lugar mais seguro onde estar, ainda que entrincheirado por perigos, do que no centro da vontade de Deus". Simonton teve um meteórico ministério no Brasil. Apenas oito anos. Ele morreu em São Paulo, aos 34 anos, mas deixou marcas indeléveis na história da nação brasileira. A história da evangelização do nosso país é devedora à consagração de uma mãe e de um pai, que colocaram no altar do Senhor uma criança, rogando a Deus que realizasse nela os sonhos do seu coração.

O que você espera dos seus filhos? Quais são os sonhos que você tem para eles? Os nossos filhos devem ser mais filhos de Deus do que nossos. Eles devem viver para realizar os projetos de Deus, e não os nossos. Eles devem ser coroas de glória nas mãos do Senhor, e não troféus da nossa vaidade. Eles devem ser instrumentos usados por Deus para a expansão do seu Reino, e

não apenas pessoas bem-sucedidas na vida. Eles devem levantar as antigas ruínas dessa civilização que tem se afastado de Deus, e não ser parte dessa ruína. Eles devem ser reparadores de brechas a fim de que esta nação venha a conhecer o Senhor. Minha querida irmã, coloque o melhor que você tem, os seus filhos, no altar de Deus!

4

Deus está procurando **mães** que estejam prontas a se **sacrificar** para ver os seus **filhos** na presença de Deus

Deus está procurando
mães que estejam prontas
a não apenas gerar
filhos fisicamente, mas
que também estejam
dispostas a sofrer as
dores de parto para vê-los
nascer de novo, para uma
nova vida em Cristo.

Poucas são as mães que pagam o preço para ver os seus filhos salvos e sendo usados por Deus. Hoje, vemos muitas mães que se esforçam para andar na moda, mães que se vestem com elegância, que estão sempre atualizadas sobre os últimos modelos das mais famosas grifes, mães que não abrem mão de usar joias requintadas, mães que se afadigam para manter a forma física e são frequentadoras assíduas de academias. Vemos mães que lutam com garra para encontrar um lugar ao sol na vida profissional e que conquistam o seu espaço com galhardia e desenvoltura. Vemos mães que não têm tempo para os filhos, pois estão ocupadas demais, trabalhando muito e, por isso, entregam os seus filhos às creches, às babás ou à televisão. Vemos mães que não amamentam os filhos, porque não querem perder a beleza do corpo. Mães que não conversam com os filhos, que não ouvem os filhos, que não têm tempo para os filhos porque têm outras prioridades. Temos visto mães que abandonam os filhos à sua própria sorte e não os educam, não os disciplinam, não os ensinam

com o exemplo. Temos visto mães que tentam substituir presença por presentes. Mas também temos visto mães com a alma de luto, com tristeza profunda, porque os filhos cresceram sem colo, sem carinho, sem conselho e sem direção espiritual.

Estamos vivendo crises avassaladoras. E a maior de todas as crises é a da família. Os lares estão sendo destruídos. Muitos filhos estão sem rumo, sem limites, sem disciplina, sem amor, porque os próprios pais estão perdidos. Os pais estão perdendo o controle dos filhos. Os pais estão confusos e não têm mais autoridade sobre os filhos. Os pais não sabem mais a que hora os filhos saem de casa, a que hora eles chegam, o que fazem, onde andam e com quem andam. Vinte e cinco por cento dos pais hoje permitem que seus filhos pratiquem sexo dentro de casa antes do casamento. Os nossos jovens estão iniciando sua vida sexual cada vez mais cedo. Aumenta dia a dia o número de adolescentes grávidas. A televisão, com sua filosofia permissiva, tem sido a grande mentora dos valores da nossa corrompida sociedade. As pessoas estão perdendo o pudor. O barco da família está afundando, porque os pais que estão no leme perderam o rumo da viagem e estão à deriva ou prestes a se chocar nos rochedos do desastre.

Precisamos de mães que andem com Deus, de pais que conheçam Deus e que se esforcem e se sacrifiquem para ver os seus filhos salvos. Precisamos de pais

que paguem o preço para ver os seus filhos andando nas veredas da justiça. Deus está procurando mães que estejam prontas a não apenas gerar filhos fisicamente, mas que também estejam dispostas a sofrer as dores de parto para vê-los nascer de novo, para uma nova vida em Cristo. A Bíblia diz que os nossos filhos são herança de Deus. O nosso maior tesouro não é o dinheiro, mas os nossos filhos. A nossa maior prioridade não é comprar um carro mais novo, mas criar os nossos filhos na disciplina e na admoestação do Senhor. Nenhum sucesso compensa o fracasso da nossa família. Nenhuma riqueza compensa a perda dos filhos. Nenhum sacrifício é grande demais quando se trata de salvar os próprios filhos.

O salmo 127 descreve os filhos como herança de Deus e também como flechas nas mãos do guerreiro. A última descrição encerra algumas lições inspiradoras que merecem ser exploradas. Os pais são vistos como guerreiros. A vida é uma luta renhida. Viver é lutar. Nessa batalha titânica da vida, não há campo neutro. Na batalha da vida, todos são convocados a lutar. Ninguém pode ficar de fora nem se aposentar. Nessa batalha, os filhos não são vistos como estorvos, mas como bênçãos. Eles são vitais para a sobrevivência, proteção e defesa dos pais. O que a flecha representava para o guerreiro, os filhos representam para os pais. Nesta perspectiva, essa figura sugere pelo menos três lições:

Primeiro, *a flecha antes de ser usada precisa ser carregada pelo guerreiro.* O guerreiro carregava suas flechas nas costas. As flechas precisam estar junto do guerreiro. Os pais também precisam carregar os seus filhos. Os filhos precisam de cuidado, de carinho, de proteção, de apoio, de encorajamento, de disciplina, de amor. Os pais precisam suportar os filhos fisicamente, material- mente, emocionalmente, espiritualmente. Os pais não podem deixar seus filhos desamparados. Os filhos precisam ser carregados. Eles não podem ser abandonados à sua própria sorte. Os filhos precisam dos pais. Os pais precisam investir nos filhos. Precisam educá-los, protegê-los, incentivá-los e prepará-los para a vida.

Segundo, *a flecha precisa ser lançada para longe.* Um guerreiro carrega a flecha não apenas como um adorno; não apenas para tê-la sempre perto de si; ao contrário, ele carrega a flecha para lançá-la no momento certo. Não criamos os nossos filhos para nós mesmos. Eles não devem ser preparados para viverem sempre ao nosso redor, mas para a vida. Há um momento em que os nossos filhos vão alçar voo para longe de nós. Há um momento em que eles vão sair do ninho e seguir a direção que Deus lhes designar. Nossos filhos devem ser mais filhos de Deus do que nossos. Eles devem realizar mais os sonhos de Deus do que os nossos. Como flechas, eles devem ser lançados para cumprir os propósitos de Deus.

Terceiro, *a flecha precisa ser lançada na direção de um alvo específico*. Um guerreiro não desperdiça suas flechas. Ele não as atira a esmo. Antes de lançar suas flechas, o guerreiro define com clareza o alvo que quer atingir. Assim também os pais devem lançar os seus filhos na direção de alvos definidos. O grande alvo para o qual devemos direcionar os nossos filhos é a glória de Deus. Nossos filhos devem viver para a glória de Deus. Devem definir a sua vocação para a glória de Deus. Devem estudar para a glória de Deus. Devem se casar para a glória de Deus. Devemos preparar os nossos filhos para esse glorioso objetivo.

Quando esse projeto familiar é executado, os pais não precisam temer os inimigos à porta. Eles se tornam vencedores! É tempo de discernirmos que estamos em guerra e que os nossos filhos podem ser armas de vitória ou vítimas indefesas nessa batalha. Pais, nós somos guerreiros. Não descansemos até que os nossos inimigos sejam derrotados. Nenhum sacrifício é grande demais quando se trata da salvação dos nossos filhos. Eles merecem o nosso maior investimento. Eles vieram de Deus e devem ser consagrados de volta a Deus. Devemos doar a nós mesmos para essa sublime causa. Esse ideal é maior do que a própria vida, e devemos dar a vida por esse ideal.

O pelicano é uma ave que muito nos ensina nesse assunto. Quando o pelicano sai para procurar alimento para os seus filhos e não encontra, ele rasga o seu próprio

peito, com o bico, e alimenta os seus filhotes com o seu próprio sangue. Você, mãe, está disposta a se sacrificar para alimentar o seu filho espiritualmente, para ser para ele um exemplo, para interceder por ele junto ao trono da graça, para jejuar por ele, e para colocá-lo diante de Deus sem jamais desistir?

Li algures uma história comovente. Havia uma mãe que tinha a mão toda enrugada, deformada e muito feia. Sua filha, à medida que crescia, tinha vergonha da mãe, por causa daquela mão deformada. Quando as amiguinhas vinham a sua casa, ela ficava com constrangimento de apresentar a sua mãe. Ela possuía vergonha da mãe. Até que, um dia, a menina se encheu de coragem e perguntou para a sua mãe: "Mamãe, por que a sua mão é tão feia?". Sua mãe lhe respondeu: "Filhinha, eu nunca lhe contei essa história. Você era bebê e a nossa casa pegou fogo enquanto você dormia no seu berço. Eu, desesperada, corri para salvar você. As chamas já ardiam em seu quarto e estavam começando a devorar o seu berço. Precisei enfiar a mão no meio do fogo e arrebatar você antes que as chamas a devorassem. Minha mão ficou totalmente queimada para que você fosse salva. É por isso que eu tenho a mão tão feia". Aquela menina, então, começou a chorar, e, enquanto as lágrimas rolavam pela sua face, ela abraçou a sua mãe e disse: "Mamãe, as suas mãos são as mais lindas do mundo, elas são lindas, mamãe!"

Será que você, mãe, está disposta a fazer qualquer sacrifício para salvar os seus filhos do fogo, do fogo eterno, da perdição eterna? Está você pronta a pagar o preço da renúncia, da oração, do jejum, do exemplo, da vida no altar, para que os seus filhos sejam salvos?

Ouvi o doloroso relato de um pai que tinha três empregos, saía sempre muito cedo de casa, deixando os seus filhos ainda dormindo, e, quando voltava, já os encontrava dormindo. O pai estava construindo um grande patrimônio. Estava muito ocupado para ter o orgulho de todo ano acrescentar mais um sítio, mais um apartamento ou mais um carro na sua declaração de imposto de renda. Seu grande projeto era deixar uma rica herança para os filhos. Contudo, seus filhos cresceram sem presença, sem orientação e sem o amor. Esses filhos mergulharam nas drogas e pereceram. A riqueza granjeada e acumulada agora não tinha mais nenhum significado. O sacrifício do pai foi em função do dinheiro, e não dos filhos. Precisamos amar mais os nossos filhos do que o dinheiro. Nossos filhos são mais importantes do que o trabalho. O que as famílias precisam não é de mais conforto, mas de mais amor. O que as famílias necessitam não é de coisas, mas de pessoas. O que os filhos carecem não é apenas de roupas caras e educação em escolas elitizadas, mas de pais e mães que estejam prontos a se sacrificarem para que eles sejam salvos e úteis no Reino de Deus.

5

Deus está procurando mães que ousem não abrir mão da salvação dos seus filhos

A salvação dos nossos filhos é mais urgente do que qualquer outra coisa na vida deles. O que adianta dar tudo aos nossos filhos e os perdermos por toda a eternidade?

Vivemos cercados por muitos perigos. A vida não floresce num jardim amuralhado, junto a regatos de águas tranquilas, mas num terreno crivado de espinhos. A vida não se desenvolve numa estufa espiritual ou numa redoma de vidro, onde somos poupados dos aleivosos inimigos que nos espreitam. A vida não é uma colônia de férias, mas um campo de batalhas. A vida é um combate, onde muitos tombam vencidos. A vida não é uma navegação em mares calmos. Na jornada da vida, enfrentamos mares encapelados, ondas ameaçadoras que conspiram contra nós. Muitos têm fracassado ao singrarem as águas profundas da vida. Muitas famílias têm se chocado contra os *icebergs* do caminho e naufragado. Muitas famílias têm sido destroçadas, soçobrando sem nenhuma esperança diante das crises que se agigantam ante os seus olhos. Muitas famílias, embora protegidas por estabilidade financeira, veem os filhos se perdendo, sucumbindo ao poder devastador dos vícios. A estabilidade financeira, o *status* social e o prestígio político não garantem

felicidade à família. Muitos daqueles que chegam ao topo da pirâmide social vivem nos vales mais sombrios da infelicidade. Muitos jovens criados em berço de ouro perecem no submundo do desespero porque nunca encontraram segurança no dinheiro. Os diplomas que penduramos na parede não resolvem o problema básico da nossa vida. O reconhecimento social não preenche o vazio existencial da nossa alma. Somente Deus pode dar significado à nossa existência. Somente um lar edificado por Deus pode enfrentar as tempestades da vida sem desmoronar. Daí, a necessidade imperiosa de mães que lutem pela salvação dos seus filhos. Ninguém ama mais os filhos do que as mães. Elas são capazes dos maiores sacrifícios em favor dos filhos. Elas são capazes de dar sua vida em favor dos filhos. Elas estão prontas a renunciar a qualquer coisa para ver os filhos triunfarem na vida.

Abraham Lincoln afirmava que quem tem uma mãe piedosa nunca é pobre. Ele dizia que tudo que ele era na vida devia à sua mãe. O maior refúgio que um filho pode encontrar neste mundo é um lar piedoso, um lar que serve a Deus e tem como o maior projeto de vida a salvação da família. À semelhança de Noé, precisamos levar toda a nossa família para dentro da arca. Embora o mundo nos chame de loucos, sabemos que o único lugar seguro onde viver é dentro da arca da salvação que é Jesus. Fora de Jesus, nossos filhos podem morar

nas casas mais requintadas, vestir as roupas mais caras, usar os carros mais sofisticados, estudar nas escolas mais conceituadas e ostentar os diplomas mais cobiçados que eles estarão no epicentro de uma tempestade avassaladora. A salvação dos nossos filhos é mais urgente do que qualquer outra coisa na vida deles. O que adianta dar tudo aos nossos filhos e os perdermos por toda a eternidade? O que adianta os nossos filhos ganharem o mundo inteiro e perderem sua alma? O que adianta construirmos impérios financeiros, deixando imensas heranças para os nossos filhos, se não os ensinamos a amar a Deus sobre todas as coisas? O que adianta ajuntarmos tesouros para os nossos filhos neste mundo, se eles não poderão levar nada quando partirem? Deus está procurando mães que se esforcem acima de qualquer outra coisa para ver os seus filhos salvos.

A Bíblia descreve com profunda riqueza a história de Joquebede, vivendo sob um regime de opressão e medo no Egito. O povo de Deus estava amargando terrível escravidão. Precisava trabalhar debaixo do chicote para construir as cidades dos seus opressores. O faraó estava oprimindo o povo de Israel, não apenas impondo trabalho forçado, mas também mandando matar os filhos do povo de Israel à espada. A gravidez naquela época não era sinal de vida, mas de morte. Não era um sonho acariciado com ternura, mas um pesadelo fatídico, interrompido pela dor do luto.

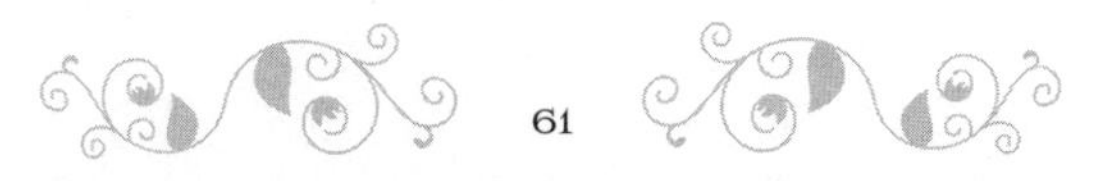

Por sua vez, o faraó dá um passo a mais para atormentar o povo. Além da espada, ele ordena que os recém-nascidos sejam lançados nas águas do Nilo. Os filhos dos hebreus deveriam alimentar os crocodilos. O Nilo deixara de ser o presente do Egito para ser o leito da morte, o campo de concentração dos hebreus, o cenário mais desesperador para as famílias hebreias.

No meio desse tormento, Joquebede encontra tempo para sonhar, para acolher em seu ventre uma criança. Ela estava determinada a fazer do seu ventre um abrigo de esperança, e não uma cova da morte. Ela planejou a salvação do seu filho antes de ele nascer. Ela protegeu o seu filho dos inimigos. Ela tomou providências meticulosas para esconder o seu filho das mãos dos sanguinários egípcios. Ela fez da salvação do seu filho o grande projeto da sua vida. Joquebede estava no cativeiro, vivendo sob opressão e despotismo, mas, embora escrava, ela não gerou o seu filho para o cativeiro. Ela tomou uma firme decisão: "O meu filho não vai ser cativo. Eu não vou entregá-lo à morte. Vou fazer de tudo para salvar o meu filho". Deus honrou aquela mãe. Ele sempre engrandece aqueles que nele esperam. Deus salvou a vida de Moisés. E também Ele salvou a vida de Moisés no rio da morte. Deus salvou a Moisés na casa do opressor e o preparou no palácio do faraó com grande poder para quebrar o jugo pesado da escravidão do seu povo. Joquebede nos ensina que as mães não

devem abrir mão da salvação dos seus filhos. Ore por eles. Clame aos céus. Não abra mão de Deus realizar um milagre na vida de seus filhos. A situação pode parecer impossível, mas Deus é poderoso para fazer um milagre.

Na cidade de Londres, havia uma mãe muito piedosa que vivia só com sua filha adolescente. Um dia, a moça chegou para a sua mãe e disse: "Mãe, eu quero ir embora de casa, quero conhecer o outro lado da vida, o que o mundo tem para me oferecer. Eu quero beber todas as taças dos prazeres que o mundo tem para me dar".

A mãe, aflita, em lágrimas, pediu, suplicou e implorou para que a filha não saísse de casa. Mas a jovem estava determinada. Seu coração estava insensível aos apelos da mãe. Nenhum argumento foi suficiente para demovê-la de sua tresloucada decisão. De modo que a jovem ajuntou algumas roupas, arrumou sua mochila e disse: "Eu vou embora e não volto. O mundo me espera, e quero conhecê-lo".

A mãe, com o coração alquebrado, saiu com a filha até o portão e, quando ela já ia se distanciando, gritou: "Filha, venha aqui". A moça voltou. Sua mãe, então, foi ao jardim da casa, apanhou uma rosa branca e lhe entregou nas mãos, dizendo: "Filha querida, quando você estiver caminhando pela estrada da vida, desesperada, sem rumo, sozinha, sem esperança, sem paz e sem sentido para viver, e olhar para uma rosa branca, lembre-se de que sua mãe estará de joelhos orando por você, clamando aos céus pela sua salvação e esperando a sua volta a casa".

A menina pegou a rosa branca das mãos de sua mãe e partiu. Percorreu o caminho das aventuras, andou pelas estradas dos desejos, sorveu as taças dos prazeres humanos. A princípio, a vida parecia cheia de encantos. Mas não tardou para que ela sentisse um grande vazio na alma, uma profunda insatisfação com a própria vida. Então, a moça mergulhou no caudal mais profundo do pecado, enlameou sua vida, conspurcou sua honra, desceu às águas turvas e profundas dos vícios. Sua vida tornou-se um fardo. A alegria foi trocada pela tristeza. A liberdade tornou-se uma cruel escravidão. Agora, a pobre jovem já não via mais saída para a sua vida. Estava no fundo do poço. Sua alma estava gemendo sob avassaladora opressão.

Depois de colher os frutos malditos de sua irrefletida decisão, após descobrir que os brilhos do mundo são falsos, que os prazeres do pecado são uma mentira e que sua vida estava vazia e sem sentido, ela resolveu dar cabo da sua vida. Certo dia, aquela jovem estava numa ponte sobre o rio Tâmisa, em Londres, pensando em se jogar no rio, para acabar com o drama da sua vida. Nesse momento, um pregador caminhava nessa mesma ponte, indo para o trabalho em uma igreja. Ao passar por ela, convidou-a para ir com ele à igreja, mas a jovem rispidamente rejeitou o convite e destratou o pregador. Ele já estava seguindo o seu trajeto, quando, de repente, num lampejo em sua mente, o Espírito de Deus o tocou e o moveu a oferecer a rosa branca que trazia na lapela àquela jovem.

O pregador, então, aproximou-se dela novamente e lhe disse: "Moça, não sei quem é você, de onde você vem, nem o que está fazendo aqui, mas Deus está me orientando a oferecer-lhe esta rosa branca. Se você mudar de ideia, estarei pregando em uma igreja logo ali na frente. Gostaria muito que você estivesse lá". A jovem pegou a rosa branca, lembrou-se das palavras da sua mãe, da intercessão dela, e começou a chorar. Quando o pregador começou o seu sermão, a jovem entrou na igreja e assentou-se no último banco. Na hora do apelo, ela foi a primeira a levantar-se e ir à frente. Em lágrimas de arrependimento, ela ajoelhou-se diante do Senhor, entregando sua vida a Cristo. Naquela mesma semana, a jovem estava de volta à casa da sua mãe, transformada pelo poder de Deus. O Senhor ouviu as orações da sua mãe, e ela foi salva. Sua mãe não abriu mão da sua vida, e ela foi resgatada da morte. Aquela menina estava perdida, e foi achada. Estava morta e reviveu.

A Bíblia nos fala de uma tremenda história ocorrida na vida de Davi. Sua família e a família dos seus seiscentos homens estavam em Ziclague. Os amalequitas vieram e saquearam a cidade, dando com ímpeto contra a cidade, ferindo-a e incendiando-a. Não somente

pilharam a cidade e roubaram os seus bens, mas também levaram cativos as mulheres, os jovens e as jovens da cidade. Quando Davi chegou com os seus homens, a cidade estava coberta de cinzas e opróbrio. Davi perdeu os seus bens, sua família e o apoio dos seus homens. Todos queriam apedrejá-lo. Todos estavam em amargura de alma, cada um por causa dos seus filhos. Os homens de Davi ficaram desesperados e revoltados. Eles perderam o equilíbrio e a capacidade de reagir diante da tragédia. Nesse momento de desespero, a Bíblia diz que Davi chorou profundamente diante de Deus. Há momentos em que precisamos aprender a chorar. Não podemos lutar pela salvação dos nossos filhos com os olhos enxutos. Davi não chorou escondido, trancado dentro do seu quarto. Ele chorou publicamente. Ele chorou para todo mundo ver. Quem chora, está dizendo que alguma coisa está errada. Quem chora, está inconformado com a situação. Quem chora, não aceita passivamente a decretação da derrota em sua vida. Davi chorou pelos seus filhos.

Mas Davi não apenas chorou. A Bíblia diz que ele se reanimou no Senhor. Ele não se conformou em ter os seus filhos nas mãos do inimigo. Ele não entregou os pontos. Ele buscou forças em Deus. As circunstâncias eram desesperadoras. O inimigo tinha arrasado a sua cidade. Tinha saqueado os seus bens, levado cativa a sua família e agora estava festejando pelo grande

despojo que tinha tomado de Davi. Davi olha ao redor e só vê ruína. A cidade está destruída.

Os amigos estão revoltados. Os recursos da terra estavam esgotados. Não havia saída do ponto de vista humano. Aquela parecia uma causa perdida. Então, Davi olha para Deus e reanima-se no Senhor, seu Deus. Deus está procurando pais e mães que não olhem apenas para as circunstâncias, mas que ousem se reanimar no meio da tragédia. Deus está procurando pais e mães que ousem confiar no seu socorro, ainda que o inimigo esteja ganhando.

Davi se reanima não porque é forte, nem porque o inimigo é fraco. Ele se reanima não porque tem um exército valente ao seu lado, nem porque tem estratégias infalíveis para desbancar o adversário. Ele se revigora a despeito dos seus recursos. Ele se fortalece a despeito da sua fraqueza. Ele se reanima exclusivamente em Deus. O limite do homem é a oportunidade de Deus. Quando o homem chega ao fim da linha, está próximo de um milagre. Quando todas as soluções da terra se esgotam, estamos no limiar de uma retumbante vitória vinda de Deus.

Davi não se reanima na força da carne. Ele não trombeteia sua valentia. Ele não faz propaganda de suas bravatas. Ao contrário, se fortalece no Senhor e cai de joelhos na presença do Deus todo-poderoso. A vitória não é consequência da luta, mas da oração. Quem ora,

alia-se ao Todo-poderoso. Quem ora, busca os recursos do céu. Não é por força ou por poder que triunfamos sobre os nossos inimigos, mas pelo poder do Espírito de Deus. Davi sabe que não poderia vencer sozinho. Ele sabe que seus homens estavam desencorajados e amargurados de espírito. Só Deus pode nos colocar em pé na hora da crise. Só Deus pode curar o coração amargurado e unir os que estão desagregados. Só Deus pode fazer um povo revoltado se unir em torno de um projeto comum, a salvação da família. Quando os filhos se tornam prisioneiros do inimigo, não adianta ficar jogando uns contra os outros. Não adianta lançar farpas contra os inimigos. Esta é uma arma terrível do adversário: saquear as famílias e depois jogar uns contra os outros. Em vez dos homens de Davi se unirem para derrotar o inimigo e tomar de volta os seus filhos, eles queriam apedrejar Davi. Muitas vezes, os pais, em vez de se unirem em oração, pedindo a Deus a libertação dos filhos, entram em verdadeiras batalhas, lançando dardos envenenados um contra o outro, transferindo a culpa ou responsabilidade um ao outro pelo fracasso e pela derrota.

Davi busca a Deus quando não havia mais nenhuma porta de saída na terra. Quando os recursos dos homens acabam, os recursos de Deus ainda são inesgotáveis. Quando as soluções humanas chegam ao fim, Deus continua se manifestando salvificamente. Para Deus, não

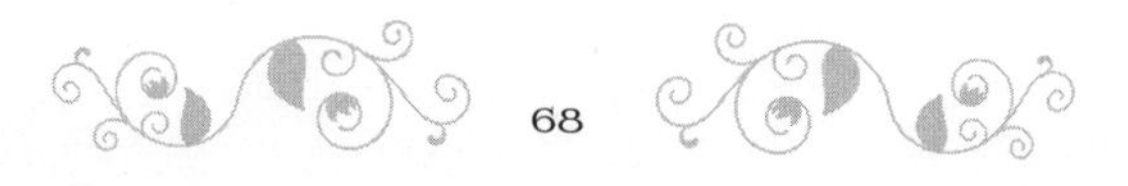

há impossíveis. Nunca devemos desistir. Nunca devemos abrir mão de tomar os nossos filhos de volta. Jamais devemos nos conformar em deixar os nossos filhos nas mãos do inimigo.

A oração de Davi foi específica. *Deus, perseguirei eu o bando? Alcançá-lo-ei?* Em outras palavras, Davi estava dizendo: "Deus, eu estou perdendo feio para o inimigo. Vou deixar as coisas ficar assim mesmo? Vou permanecer passivo diante da derrota amarga? Vou aceitar quieto a decretação da derrota na minha vida? Vou permitir que o inimigo fique com os meus filhos sob o seu poder? Ou vou reagir, Senhor?" O bonito da oração é que Deus responde a ela. Ele diz: *Invoca-me no dia da angústia; eu te livrarei, e tu me glorificarás* (Salmos 50:15). Deus ouviu a oração de Davi. Deus respondeu ao clamor de Davi e lhe disse: "Vai, persegue o bando, porque tudo que o inimigo tomou de você, você vai trazer de volta". Deus nos promete vitória, e não ausência de luta. Deus nos promete chegada certa, e não caminhada fácil. Deus dá a vitória, mas devemos empunhar as armas de combate. Davi levanta-se da oração como um gigante. Ele agora tem a promessa de Deus em suas mãos. Um homem que toma posse da promessa de Deus não recua diante dos perigos, não retrocede diante das dificuldades. Davi parte com os seus homens não como um aventureiro, mas como um campeão, sabendo que a vitória não viria de sua destreza, mas das mãos de Deus.

Davi triunfou sobre os seus inimigos, recuperou os seus bens, as suas mulheres, os seus filhos e as suas filhas. O inimigo foi derrotado, espoliado e envergonhado, e Davi e seus homens voltaram para a cidade trazendo os despojos. Davi não deixou nada nas mãos do inimigo. Tudo ele tornou a trazer. Nem coisas pequenas nem grandes ficaram para trás. Nossos filhos são herança de Deus. Eles são filhos da promessa. Não geramos filhos para a escravidão. Não geramos filhos para servir ao mundo, para serem escravos do diabo.

Não geramos filhos para a morte nem para povoar o inferno. Nossos filhos são de Deus, e não podemos descansar até vê-los aos pés do Senhor, servindo-o de todo o coração. Não deixe os seus filhos nas mãos do inimigo. Chore por eles, ore por eles, jejue por eles, lute por eles, tome-os de volta.

Quando Moisés estava tirando o povo de Israel da escravidão do Egito, o faraó fez quatro propostas a Moisés para reter o povo debaixo do seu domínio tirânico e do seu poder.

Primeiro, *ele queria que o povo servisse a Deus no Egito mesmo* (Êxodo 8:25). Há muitas pessoas pensando que podem servir ao Senhor e levantar altares a Deus no Egito, no mundo. Moisés rejeitou peremptoriamente a proposta do faraó.

Segundo, *ele queria que o povo ficasse próximo do Egito.* Esse é um grande perigo, viver perto do Egito,

viver flertando com o mundo, sem ter a coragem de fazer uma entrega completa ao Senhor.

Terceiro, *ele queria que os jovens ficassem no Egito*. Há muitos que pensam que o lugar de o jovem desfrutar a vida é no Egito. Muitos acham que o jovem tem mesmo é que curtir a vida, aproveitando de todos os prazeres que o mundo oferece. Mas Moisés rechaçou a proposta do faraó, mostrando que o lugar dos jovens gozarem a vida é na presença de Deus.

Finalmente, *ele queria que o povo saísse, mas deixasse o seu dinheiro no Egito*. Há aqueles que pensam que podem servir a Deus e ao dinheiro ao mesmo tempo. Se o nosso dinheiro não está a serviço de Deus, nós ainda não adoramos a Deus. É impossível servir a Deus e às riquezas ao mesmo tempo. Moisés foi categórico ao dizer que nem uma unha iria ficar no Egito. Tudo o que eles eram e tinham pertencia a Deus e estava a serviço do Senhor. Assim também devemos fazer. Nossos bens, nossa vida e nossos filhos pertencem a Deus. Devemos consagrá-los ao Senhor e jamais abrir mão de vê-los salvos e servindo ao Senhor.

6

Deus está procurando mães que ousem ser guardas das fontes

Precisamos de mães piedosas, de mães cheias do Espírito, de mulheres de oração que se sacrifiquem na difícil tarefa de resgatar os filhos do afogamento moral, da alienação social e da morte espiritual.

Peter Marshall foi um grande pregador. Ele morreu em 1949 quando exercia as funções de capelão do Senado norte-americano e pastor da Primeira Igreja Presbiteriana de Washington. Ele era um homem de mente brilhante, de personalidade prismática e de eloquência angelical. No seu pequeno, mas monumental, livro *Guardas das fontes*, ele conta a história de um personagem misterioso que vivia na floresta, perto de um bucólico e romântico vilarejo. Das colinas cheias de arvoredo, águas cristalinas desciam das encostas, formando lagos encantadores, regando os campos engrinaldados de flores, onde as crianças, felizes, brincavam e onde os cisnes voavam alegremente. Naquela vila, pulsava a vida. A alegria aparecia no sorriso das crianças, no gorjear dos pássaros, no voo engalanado das borboletas multicores e nos matizes policromáticos das flores mimosas. A felicidade aspergia aquele lugar romântico, regado pelas águas límpidas e cristalinas que desciam dos montes. Mas qual era o segredo desse lugar cheio de encanto, beleza e vida? É que vivia na floresta

um personagem misterioso, que trabalhava longe dos holofotes, limpando as fontes, tirando o lodo, as folhas secas e o entulho a fim de que a água pudesse jorrar clara, pura e límpida para a vila.

Um dia, porém, a Câmara Municipal reunida encontrou o salário do Guarda das Fontes. Aí o relator da Comissão de Orçamento disse: "Por que pagar salário a esse personagem romântico? Nós nunca o vemos; ele não é necessário à vida de nossa cidade. Se construirmos um reservatório no alto, fora da cidade, podemos dispensar seus serviços e economizar o dinheiro do seu salário". Assim falaram, assim fizeram. Dispensaram o Guarda das Fontes e trocaram o seu trabalho por um reservatório de concreto. Desse modo, o Guarda das Fontes não visitou mais as nascentes no interior sombrio das matas, mas ficou espiando, de longe, enquanto era construído o reservatório.

Quando a obra terminou, logo se encheu de água, mas esta já não parecia a mesma. Não parecia ser tão limpa, e uma espuma verde principiou a poluir a superfície estagnada.

Não tardou para que o lodo, as folhas apodrecidas e o entulho fossem entupindo e poluindo o canal por onde a água descia. O lodo e o barro foram se acumulando na caixa de concreto. A água que outrora era límpida, agora chegava à vila poluída, barrenta e contaminada.

Começaram também a surgir aborrecimentos constantes com as máquinas delicadas dos moinhos, porque as rodas ficavam constantemente obstruídas pela lama. Os cisnes foram procurar outro lar fora da cidade.

A água deixou de ser uma fonte de vida para ser um caudal da morte. As borboletas que esvoaçavam cheias de encanto, beijando as flores mimosas, foram embora. Os pássaros deixaram de cantar e fugiram para outras paragens. A vila foi tomada por um clima de tristeza. Tudo se tornou pardacento e triste naquele lugar.

Finalmente, uma epidemia grassou, e os dedos viscosos e amarelos da doença alcançaram todos os lares em todas as ruas e alamedas da cidade.

Imediatamente a Câmara Municipal reuniu-se para reavaliar a situação. Reconheceram o erro cometido. Penitenciaram-se ante o equívoco que acarretara consequências tão danosas à cidade e chegaram à conclusão de que era preciso recontratar o Guarda das Fontes. E assim foram procurá-lo em sua cabana no alto das montanhas e rogaram-lhe que retornasse ao seu antigo e alegre trabalho. Ele concordou, muito satisfeito, e começou a fazer de novo as suas rondas.

Tão logo ele voltou ao trabalho, a vida tornou a explodir cheia de encanto naquela vila. As águas puras e límpidas voltaram a jorrar, trazendo vida e saúde para as crianças. Os moinhos recomeçaram a girar. Os cisnes retornaram. O passaredo voltou a cantar. As borboletas esvoaçavam de novo, beijando as flores garridas, enchendo o ar de cores deslumbrantes. A vida, a saúde e a felicidade daquela vila dependiam do trabalho anônimo, mas vital, daquele personagem misterioso.

Peter Marshall conta essa linda história para dizer que as mães são "guardas das fontes".

Vivemos numa sociedade poluída. As águas que jorram dentro das nossas casas, nas salas de aula ou no campo de trabalho, das quais se abastecem nossos filhos, são lodacentas, barrentas e contaminadas. O ambiente onde nossos filhos vivem, muitas vezes, é profundamente contaminado e poluído por males devastadores. Vivemos dias perigosos nos quais toda sorte de males, assim como a água contaminada, envenena milhões de pessoas, trazendo doenças físicas, emocionais, morais e espirituais. A televisão, o cinema e o teatro são fontes poluídas que despejam sujidades na mente dos nossos filhos. A pornografia, a violência, o ocultismo, as drogas e toda sorte de perversidades são despejadas dentro dos lares por meio da televisão. A televisão tem se transformado na pedagoga das banalidades, na instrutora do crime, na escola do descalabro moral.

As filosofias reinantes neste século induzem a geração presente a uma ética relativa situacional. Os valores morais absolutos estão sendo atacados desde os alicerces. As colunas da nossa sociedade estão sendo bombardeadas com arsenal pesado. O descalabro dos costumes está se instaurando sem nenhum pudor sob os aplausos de uns e a omissão covarde de outros.

A família está perdendo os seus referenciais. O casamento deixou de ser uma aliança para ser apenas um contrato comum. As pessoas casam-se para se divorciar e divorciam-se para se casar. A infidelidade conjugal é vista como um escape para as neuroses e uma necessidade compulsiva. O sexo no namoro, a gravidez na adolescência e o aborto já não nos deixam mais perplexos. A castidade é motivo de motejo numa sociedade que aplaude a degradação moral e escarnece da virtude. A homossexualidade é vista apenas como uma opção livre e um direito inalienável. A virtude morreu. A decência cobriu o seu rosto de vergonha e retirou-se do palco. A profecia de Ruy Barbosa está se cumprindo: O homem pós-moderno tem vergonha de ser honesto.

Nesse mar de lama, onde a juventude está morrendo sufocada pelos prazeres do mundo, acariciando a própria morte travestida de vida, sorvendo todas as taças dos prazeres, sem saber que são venenos mortíferos, o mistério das mães como guardas das fontes é uma necessidade imperativa, intransferível e impostergável. É absolutamente necessário que as mães se esforcem para retirar o lixo e o entulho que estão soterrando as fontes das quais se abastecem seus filhos. Como Isaque, as mães precisam limpar os poços onde bebem seus filhos. Isaque cavou poços, onde jorrou água limpa e cristalina. Mas os filisteus vieram e soterraram os poços de Isaque. Jogaram entulho e estancaram a água.

Havia água, mas ela não podia jorrar. Havia água, mas ela estava estancada e poluída. Isaque tirou o entulho e a água voltou a jorrar. Isaque tirou o lixo, e a vida brotou novamente. Assim as mães precisam fazer. É necessário que elas velem pelos seus filhos, protejam seus filhos, orem por eles, aconselhem-nos, abençoem seus filhos e os eduquem no temor do Senhor. Nunca houve uma época em que tivesse maior necessidade de guardas das fontes, ou que houvesse mais fontes poluídas necessitadas de purificação. Se o lar falhar, a nação estará condenada: a queda da família determinará a bancarrota do país. Se as guardas das fontes desertarem de seus postos ou forem infiéis às suas responsabilidades, o pano- rama futuro do país será realmente tenebroso.

Esta geração precisa de guardas das fontes que tenham coragem bastante para limpar nascentes poluídas. Não é um trabalho fácil, e também não é muito popular, mas é vital para salvar a nossa geração.

Li sobre uma antiga lenda indiana que retrata esta realidade: Sentados à beira do rio, dois pescadores seguram sua vara à espera de um peixe. De repente, gritos de crianças quebram o silêncio. Os pescadores se assustam. Olham para a frente, olham para trás. Nada. Os berros continuam e vêm de onde menos esperam. A correnteza trazia duas crianças, pedindo socorro. Os pescadores pulam na água. Mal conseguem salvá-las com muito esforço, ouvem mais berros e notam mais

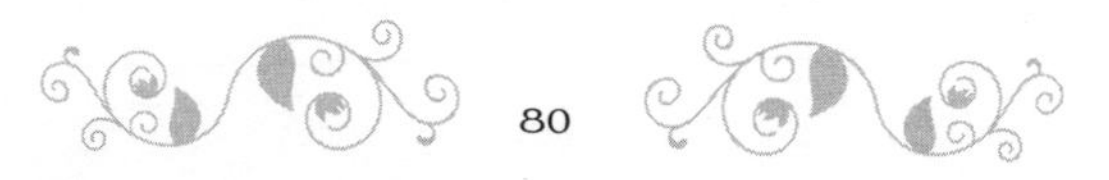

quatro crianças debatendo-se na água. Dessa vez, apenas duas são resgatadas. Aturdidos, os dois ouvem uma gritaria ainda maior. Dessa vez, oito seres vindo correnteza abaixo.

Um dos pescadores vira as costas ao rio e começa a ir embora. O amigo exclama:

— Você está louco, não vai me ajudar?

Sem deter o passo, ele responde:

— Faça o que puder. Vou tentar descobrir quem está jogando as crianças no rio.

Essa antiga lenda indiana retrata como nos sentimos no Brasil. Temos poucos braços para tantos afogados. Mal salvamos um, vários descem rio abaixo, numa corrente incessante de apelos e mãos estendidas. Somos obrigados a cair na água e, ao mesmo tempo, sair à procura de quem joga as crianças.

Incrível como tantas pessoas às margens do rio conseguem conviver com os berros. E até dormir sem sobressaltos. É como se não ouvissem. O mais grave é que descobrimos que os responsáveis pelos afogados não estão escondidos rio acima. Estão do nosso lado. Precisamos de braços estendidos para salvar as crianças e os jovens que estão sendo lançados no rio da marginalidade e da impunidade social, sem deixar de descobrir e anular os responsáveis por essa cruel realidade. Enquanto salvamos algumas crianças e jovens, muitas outras são lançadas nas águas. Precisamos de mães piedosas, de mães

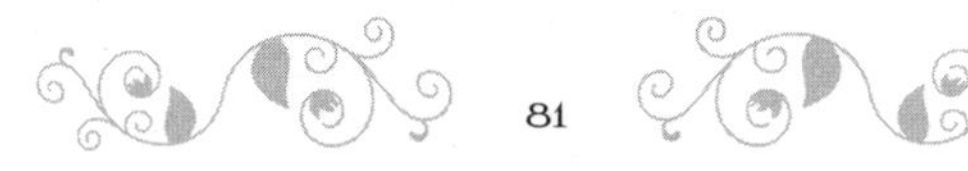

cheias do Espírito, de mulheres de oração que se sacrifiquem na difícil tarefa de resgatar os filhos do afogamento moral, da alienação social e da morte espiritual. Precisamos de mães que ousem ser guardas das fontes!

A melhor maneira de salvar os filhos da corrupção do mundo, do engano do pecado, do naufrágio moral e da morte espiritual é ensinar a eles a Palavra de Deus. Eunice e Loide ensinaram a Timóteo desde a sua infância as Sagradas Letras. Timóteo tornou-se sábio para a salvação desde tenra idade porque teve uma mãe e uma avó que investiram em sua vida, zelando pela sua formação espiritual. Timóteo tornou-se um jovem crente, um poderoso instrumento nas mãos de Deus, um modelo para os fiéis, um homem que viveu para glorificar a Cristo e servir com amor à sua igreja.

Provérbios 22:6 diz que devemos ensinar à criança não *o* caminho em que ela quer andar, mas *no* caminho em que ela deve andar. O exemplo não é uma forma de ensinar, mas a única forma eficaz. Precisamos de mães que sejam exemplo para os seus filhos, que sejam espelho para eles. Um espelho para ser útil precisa ter quatro características:

Primeiro, *ele é mudo*. Ele não fala, mas mostra. A mãe também mostra o que está errado em nós. A forma de ensinar os filhos não é com regras e mais regras, nem com palavras e gritos, mas com exemplo.

Segundo, *o espelho precisa estar limpo*. Um espelho sujo ou embaçado não reflete com fidelidade a imagem.

A maior riqueza dos filhos é ter pais piedosos. A maior herança que deixamos para os filhos é o exemplo de uma vida irrepreensível.

Terceiro, *o espelho precisa ser plano*. Um espelho côncavo ou convexo distorce a imagem. Os pais precisam viver com coerência. Os filhos não se impressionam com as nossas palavras. Eles precisam ver o nosso exemplo. Nossas atitudes precisam referendar as nossas palavras. Nossos atos falam mais alto do que as nossas palavras mais eloquentes.

Quarto, *o espelho precisa ser iluminado*. Não adianta ter espelho e olhos, se não temos luz. Deus é luz. Sua Palavra é luz. Não poderemos ser guardas das fontes se não andarmos na presença de Deus nem seguirmos as orientações da sua Palavra.

Deuteronômio 6:1-9 diz que antes de ensinarmos a Palavra de Deus aos filhos, precisamos ensinar a nós mesmos. Agostinho dizia que devemos educar os nossos filhos vinte anos antes de eles nascerem. Ou seja, devemos educar-nos primeiro antes dos nossos filhos nascerem. Primeiro guardamos a Palavra de Deus no nosso coração e, depois, a ensinamos aos filhos. Primeiro amamos a Deus e, depois, ensinamos os filhos a amarem a Deus. Primeiro tiramos o entulho da nossa própria vida e, depois, ajudamos os filhos a viverem uma vida limpa. Primeiro temos intimidade com Deus e, depois, criamos os filhos na admoestação e disciplina do Senhor.

Guarda das fontes, não abandone o seu posto! É mais importante ser uma mãe exemplar do que uma mulher de sucesso. As mãos que embalam o berço governam o mundo. Seus filhos precisam de você. A igreja precisa de você. A sociedade precisa de você. Se você desertar do seu posto, a família naufragará, e o mundo perecerá.

7

Deus está procurando **mães** que ousem colocar o ninho de seus **filhos** nas **alturas**, longe dos predadores

Quando o filhote está prestes a se arrebentar no chão, a águia o toma em suas asas e leva-o novamente para as alturas e de lá o atira outra vez ao chão.

Deus está procurando mães que ousem colocar o ninho de seus filhos nas alturas, longe dos predadores

A Bíblia diz que aqueles que esperam no Senhor são como a águia. Deus renova a nossa mocidade como a águia. A águia é uma pedagoga de Deus que nos ensina muitas lições preciosas. A lição mais importante que a águia nos ensina é como ela trata os seus filhotes. Vejamos cinco lições vitais que podemos aprender com a águia:

1. Proteção

A águia coloca o ninho dos seus filhotes no alto dos rochedos, nos penhascos elevados, bem longe dos predadores (Jó 39:27,28). A proteção dos filhotes é uma das providências mais importantes na vida da águia. Ela não constrói o ninho em lugares vulneráveis. Ela não deixa os filhotes expostos às feras. Ela os cerca com cuidado, construindo o ninho deles em lugares seguros.

Uma das maiores tragédias da sociedade atual é que os pais não se preocupam em colocar o ninho dos seus filhos em lugares seguros. Muitos pais são como Ló: buscam mais o sucesso dos filhos do que a salvação deles.

Estão mais preocupados com a riqueza do que com a proteção dos filhos. Ló escolheu as campinas do Jordão. Foi armando as suas tendas para as bandas de Sodoma e Gomorra. Ele levou a sua família para o meio de uma cidade corrupta e promíscua. Ele construiu sua fortuna para o fogo. Ele perdeu tudo que cobiçou. Ele não protegeu suas filhas nem colocou o ninho delas em lugar seguro. A família de Ló sofreu as terríveis consequências de sua escolha. Sua mulher tornou-se uma estátua de sal. Seus genros foram destruídos com a cidade, e ele tornou-se pai dos seus netos, avô de seus próprios filhos. Sua cidade cobriu-se de cinzas. Seus bens foram devorados pelo fogo. Sua mulher tornou-se um monumento do materialismo cego. Sua descendência, uma geração que se apartou de Deus. Tudo isso porque Ló não cuidou de suas filhas, mas construiu o ninho delas no coração de Sodoma e Gomorra.

A Bíblia registra a história de um homem extraordinário. Foi um grande poeta, um extraordinário compositor, um músico de qualidades superlativas, um pastor de ovelhas exemplar, um guerreiro destemido, um soldado audacioso, um líder carismático, um rei de personalidade prismática, de mente peregrina e piedade destacada. Foi considerado o homem segundo o coração de Deus. Esse era Davi. Ele era um homem valente, destemido e também humilde. Enfrentou um urso, matou um leão, venceu um gigante, triunfou sobre os

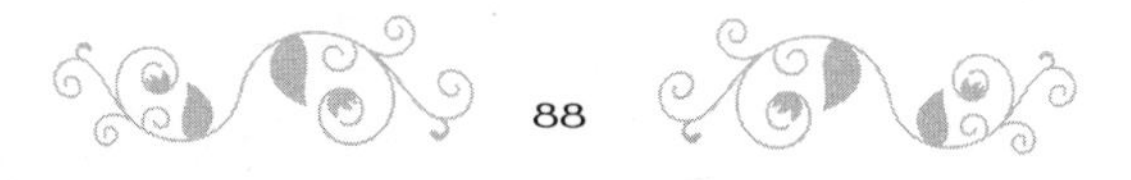

exércitos inimigos, conquistou terras, tornou-se famoso e edificou um reino. Mas Davi não construiu o ninho dos seus filhos em lugares altos. Ao contrário, edificou o ninho deles perto dos predadores. É possível que você seja uma pessoa rica, famosa e de sucesso. Mas a questão principal é: "Onde você está edificando o ninho dos seus filhos? Que princípios de vida você está ensinando para os seus filhos? Quais são os valores que você está passando para os seus filhos? Onde os seus filhos andam? Com quem eles andam? Quem são os conselheiros de seus filhos? Quem frequenta a sua casa com os seus filhos? O que os seus filhos fazem? A que horas eles chegam em casa?"

Não adianta você vencer na vida e perder os seus filhos. Não adianta ser rico e não ter tempo para cuidar dos seus filhos. Nenhum sucesso compensa o fracasso dos seus filhos. Davi era um nepotista. Seus filhos ocupavam o primeiro escalão do seu governo. Mas Davi não tinha tempo para os seus filhos. Ele não conversava com os seus filhos. Ele dava ricos presentes a eles, mas sonegava-lhes sua presença. Nossos filhos não precisam de presentes, mas de presença. Eles não precisam de coisas, mas dos pais.

A Bíblia nos fala de Eli, um homem que julgou o povo de Israel durante quarenta anos. Ele era sacerdote e juiz. Ele tinha um magistral ministério. Ele viajava por todo o país. Ele ouvia muitas histórias. Ele resolvia

muitos problemas. Ele dava muitos conselhos. Ele era procurado por todos para trazer uma palavra de orientação. Muitas famílias o buscavam, pedindo ajuda, orientação e aconselhamento. Eli tinha dois filhos, Hofni e Fineias. Eles estavam crescendo dentro da casa de Deus. Mas o pai estava muito ocupado. Eli não tinha tempo para os filhos. Ele vivia resolvendo o problema dos outros. Ele vivia dando atenção aos filhos dos outros. E seus filhos estavam crescendo dentro da casa de Deus, mas sem um pai presente, sem apoio, sem disciplina, sem proteção. Eli estava percorrendo a nação, resolvendo os problemas, aconselhando todo mundo, dando atenção às necessidades das pessoas, mas esqueceu-se dos seus filhos. Eles estavam dentro da igreja, dentro da casa de Deus, mas foram crescendo como filhos de Belial, filhos do diabo, jovens irreverentes, adúlteros e indisciplinados, porque seu pai tinha tempo para todos, menos para os seus próprios filhos.

Eli foi um sucesso fora dos portões e um fracasso dentro de casa. Um grande líder e um péssimo pai. Eli, para compensar a sua ausência, era complacente com os filhos. Não os disciplinava, não os corrigia. Ao contrário, tornava-se conivente com os seus pecados. O pecado dos filhos de Eli tornou-se tão grave que Deus os entregou à morte. Aquela família foi destruída, e o opróbrio veio sobre eles, porque Eli não cuidou dos seus filhos.

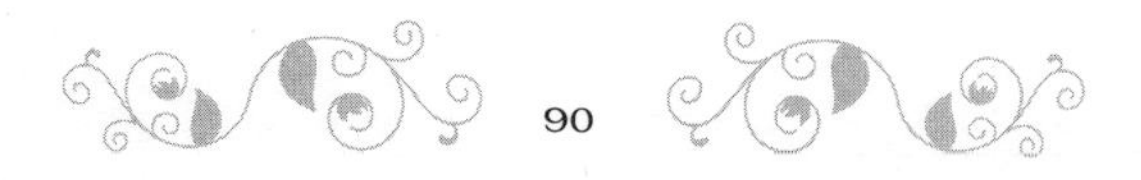

Davi, de igual forma, foi um pai complacente. Ele não disciplinava seus filhos. Ele estava envolvido com muitas coisas e esqueceu-se de colocar o ninho dos seus filhos longe dos predadores. Aliás, tinha uma víbora dentro do ninho dos filhos do rei. Essa víbora peçonhenta chamava-se Jonadabe. Esse jovem diabólico vivia dentro da casa do rei e tornou-se conselheiro do filho do rei. Jonadabe destilou veneno letal no coração de Amnom, filho de Davi, levando-o à ruína. A loucura cometida por Amnom desaguou em tragédia para toda a casa de Davi.

Preciso lhe perguntar: "Quem são os conselheiros dos seus filhos? Com quem eles andam? O que eles estão fazendo? Quem são os amigos dos seus filhos? Quem frequenta a sua casa com os seus filhos?"

Amnom, filho de Davi, nutriu no coração uma paixão doentia por sua irmã Tamar. Ele não conseguia se livrar do sentimento que o consumia. Sua mente estava aturdida. Ele sabia que aquele fogo abrasador que ardia em seu peito era um sentimento ilícito e doentio. Ele passou um tempo convivendo com esse vulcão abafado em seu peito. Seu semblante estava triste. Sua paixão sobrepujara a razão. Amnom, nesse processo de adoecimento emocional, comete três erros graves:

Primeiro, *ele abriu a guarda para se apaixonar pela pessoa errada*. Ele deu espaço a um sentimento desnatural. Ele hospedou no coração o que sabia ser errado. Ele acariciou o que sua consciência sabia ser condenado.

Segundo, *ele abriu-se com a pessoa errada*. Um mau conselheiro é uma das maiores tragédias que podem acontecer ao ser humano. Amnom destranca as câmaras de horror do seu coração, deixa vazar o que estava represado dentro do seu peito e conta para Jonadabe sobre a sua paixão secreta. Jonadabe não era um amigo nem tinha credenciais para ser um conselheiro. Ele era uma víbora peçonhenta. Sua língua estava carregada de veneno mortífero. Sua boca era uma fonte de perdição. Seu conselho perverso pavimentou a estrada da perdição para Amnom, filho do rei.

Jonadabe abriu um caminho para Amnom satisfazer seu desejo perverso, dizendo-lhe: "Não se preocupe, vou ajudá-lo. Você vai ter o que deseja. Sua irmã Tamar será sua. Você vai possuí-la. Em breve ela estará nos seus braços. Você vai satisfazer os desejos do seu coração.

Não se reprima". Jonadabe prosseguiu com o seu insano e diabólico conselho: "Finja-se de doente. Quando o seu pai for visitá-lo, peça a ele que mande a sua casa Tamar. Quando ela for visitá-lo, peça-lhe para fazer um prato especial. Quando ela vier trazendo o apetitoso cardápio, peça a todos para se retirarem. Quando você estiver sozinho com ela no quarto, agarre-a, subjugue-a, possua-a. E ela, então, será sua mulher".

Terceiro, *Amnom fez exatamente o que Jonadabe mandou*. Amnom tapou os ouvidos à voz da lei, à voz da consciência e à voz da retidão. Ele não apenas abrigou

uma paixão doentia no coração, mas deu vazão ao seu sentimento irracional. Não apenas se abriu com a pessoa errada, mas fez tudo quanto ela mandou. Jonadabe era uma víbora no ninho dos filhos do rei. Ele era um jovem dissimulado, um lobo, uma ameaça dentro da casa do rei. Amnom estuprou a sua irmã, para depois sentir náuseas por ela e rejeitá-la com profundo desdém e impiedade. Amnom era um jovem caprichoso, egoísta, que só pensava em si mesmo e na satisfação imediata dos seus desejos desgovernados.

Tamar foi envergonhada, aviltada e desprezada. Amnom abusou dela e depois a descartou. Sua violenta paixão era um sentimento falso e espúrio. Tamar era apenas um objeto descartável do seu prazer e aventura. O opróbrio do abuso e da rejeição abriu feridas na alma de Tamar e provocou uma revolta irremediável em Absalão, seu irmão.

Absalão passou a odiar Amnom, e Davi sabia disso, mas não tomou nenhuma providência para estancar o fluxo de tragédia que desabava sobre a sua família. Absalão premeditou o assassinato do seu irmão e o consumou. Davi ficou irado, e Absalão precisou fugir, buscando asilo fora dos limites de Israel. Por intercessão de Joabe, Absalão volta a Jerusalém, mas é proibido de ver a face do pai. Absalão manda um recado para o pai de que preferia a morte ao silêncio do pai. Davi, então, o recebe, mas não fala com ele. Absalão torna-se um poço

de revolta contra o pai e sai do palácio para tramar uma conspiração contra o pai, para tomar-lhe o reino. Davi, já velho, precisa fugir para poupar a própria vida. Nessa empreitada inglória, Absalão morre, e Davi chora. Mais tarde, Adonias quer tomar o reino de assalto, mas este é dado a Salomão. Salomão assume o trono e mata o seu irmão Adonias. Tem traição, estupro, assassinato, conspiração, derramamento de sangue e morte na casa de um homem de Deus. Isso porque tinha uma víbora no ninho dos filhos do rei.

A família de Davi é um retumbante alerta de que as mães e os pais precisam ser como a águia, colocando o ninho dos seus filhos nos lugares altos, longe dos predadores.

2. Exemplo

A águia tem outra atitude importante em relação aos filhotes: o exemplo (Deuteronômio 32:11). Quando os filhotes da águia já estão grandes, na hora de sair do ninho, ela começa a voar sobre a ninhada, mostrando a eles que é hora de sair para a vida. Ela ensina os filhotes como voar. Ela ensina pelo exemplo. Você educa os seus filhos não apenas dando ordens ou traçando limites para eles. Você os educa, sobretudo, pelo exemplo. O exemplo não é apenas uma forma de ensinar, mas a única maneira eficaz de fazê-lo. Muitas vezes, os filhos tornam-se rebeldes porque os pais falam uma coisa e

vivem outra. A integridade e a coerência são o alicerce de uma educação familiar consistente. Os pais precisam viver o que ensinam. A vida dos pais não pode negar os seus ensinos. Os pais são como espelho. O espelho, embora mudo, demonstra e revela. O preceito bíblico é claro: *Ensina a criança no caminho em que deve andar, e, ainda quando for velho, não se desviará dele* (Provérbios 22:6). A maior riqueza que os pais podem deixar para os filhos é o exemplo de uma vida irrepreensível. O bom nome vale mais do que as riquezas. O caráter é mais precioso que o dinheiro. A honra vale mais do que riquezas. O exemplo é mais importante do que palavras.

3. Disciplina

Às vezes, os filhos rejeitam seguir o ensino e o exemplo dos pais. O que fazer? A águia nos ensina uma tremenda lição. Ela aplica a disciplina. Ela tira a penugem do ninho dos filhotes, deixando apenas as farpas, os espinhos e os gravetos pontiagudos. Ela não poupa os filhotes dos espinhos. Há momentos em que a única linguagem que os filhos entendem é a comunicação da disciplina. Pecam contra os filhos aqueles que os colocam numa estufa de superproteção. Prestam um desserviço aos filhos aqueles que colocam os seus filhos numa redoma de vidro. Filhos sem disciplina não amadurecem nem são preparados para a vida. Os bastardos é que vivem sem disciplina, e não os filhos. Quem ama,

disciplina. Quem ama, permite que os espinhos acicatem os filhos, quando estes se recusam a ouvir a voz do exemplo. Há momentos em que os espinhos são mais necessários do que a penugem. Disciplina não é ausência de amor. Ao contrário, disciplina é evidência de um amor responsável.

A Bíblia condena a atitude do sacerdote Eli, que amava mais os seus filhos do que a Deus. Eli tinha pelos filhos um amor profundo, mas não era um amor responsável. Eli, querendo poupá-los da disciplina, lançou-os na destruição. A Bíblia diz que Davi também nunca contrariou o seu filho Adonias. Davi amava os seus filhos e era capaz de chorar profundamente diante da morte de Absalão, mas não foi capaz de discipliná-lo com firmeza e doçura. Devemos amar de tal forma os nossos filhos a ponto de discipliná-los.

4. Discipulado

O que fazer quando os filhos não atendem à voz do exemplo nem à voz da disciplina? A águia toma uma medida radical. Ela pega o filhote com suas possantes garras, arranca-o do ninho e o atira das alturas para o chão. O filhote, que nunca voou, cai desesperadamente, dando cambalhotas no ar, achando que vai se esborrachar no chão. Quando o filhote está prestes a se arrebentar no chão, a águia o toma em suas asas e leva-o novamente para as alturas e de lá o atira outra

vez ao chão. Ela faz isso uma, duas, três, cinco, dez vezes, até que o filhote aprende a voar sozinho. A lei da águia é: "Meu filhote tem de ser meu discípulo". Não há discipulado sem riscos. Não há discipulado sem empurrar os filhos para a vida. Não há discipulado sem treinamento. Ninguém aprende a nadar apenas com aulas teóricas. É preciso se atirar na água. Ninguém consegue ser um paraquedista se não saltar das alturas. A vida exige não apenas instrução, mas treinamento. Esta deve ser a grande bandeira das mães e dos pais: fazer de seus filhos seus discípulos, ou seja, conduzi-los aos pés do Senhor.

5. Restauração

A águia tira os filhotes do ninho e os atira ao chão não porque não os ama, mas porque essa é a pedagogia necessária para treiná-los para a vida. Contudo, a águia não apenas os lança no ar, mas também os ampara quando eles estão prestes a cair. Ela os segura antes da queda. Ela os restaura antes da ruína. A águia nos ensina que não devemos desistir dos nossos filhos. Devemos ter paciência com eles e jamais abrir mão da vida deles. Se seus filhos errarem, perdoa-os. Se eles fracassarem, restaure-os. A águia nos ensina a jamais desistir dos nossos filhos. Eles são herança de Deus, são filhos da promessa. Não geramos filhos para o cativeiro nem para a morte. Nossos filhos são de Deus, e não podemos descansar até vê-los como coroas de glória nas mãos do Senhor.

Não cesse de orar pelos seus filhos. Não descanse nem dê a Deus descanso (Isaías 62:6,7), ainda que hoje seus filhos estejam longe do Senhor, vivendo fora do centro da vontade de Deus, fazendo aquilo que é abominação aos olhos dele. Ainda que a restauração dos seus filhos pareça impossível, continue se colocando na brecha em favor deles. Nenhuma gota das suas lágrimas será desperdiçada. Deus é poderoso transformar os seus filhos, tirando deles o coração de pedra e lhes dando um coração de carne. O que ao homem é impossível, é possível para Deus. Não aceite passivamente a decretação da derrota na sua família. Não desista dos seus filhos. Os perdidos podem ser achados e os mortos podem reviver. Você ainda poderá celebrar a festa de restauração de seus filhos. Ore, aja e espere no Senhor!

8

Deus está procurando mães que não desistem de ver seus filhos libertos

Mãe, não desista de seus filhos. Eles são filhos da promessa. Eles não foram criados para o cativeiro. Lute por eles. Ore por eles. Insista com o Senhor até vê-los libertos e transformados.

Há muitos filhos cativos e em diversas prisões. As prisões mais terríveis não são aquelas que limitam a liberdade de ir e vir, mas as prisões da alma. Estas aprisionam pessoas nos palácios e nas choupanas, nos condomínios de luxo e nos barracos mais pobres, nas selvas de pedra e nos grotões mais escondidos.

Quero apresentar a você uma mãe que, mesmo sendo estrangeira e morando numa terra eivada de paganismo, sentiu o drama de sua filha e lutou para vê-la liberta. Quero apresentar a você a mulher siro-fenícia. A história dessa mulher está registrada em Marcos 7:24-30.

Antes de entrar na exposição desse texto do evangelho de Marcos, chamo sua atenção para três fatos importantes:

Jesus está em território gentio. O ministério de Jesus na Galileia termina com o registro de Marcos 7:23. Seu ministério do retiro e da Pereia começa exatamente com o início da passagem em apreço (Marcos 7:24-30) e vai até Marcos 10:52. Tiro e Sidom eram cidades da

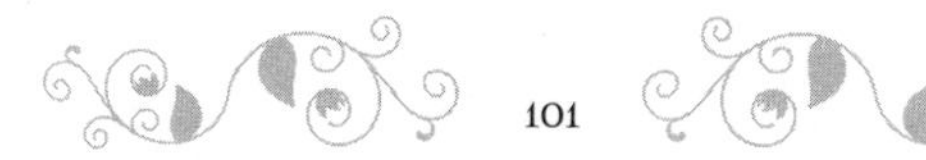

Fenícia, e a Fenícia era parte da Síria. Tiro ficava há uns sessenta quilômetros a noroeste de Cafarnaum. Seu nome significa rocha. Tiro era um dos grandes portos naturais do mundo nos tempos antigos. Tiro era não só um porto famoso, mas também uma fortaleza famosa. Alexandre, o Grande, a tomou, tendo construído uma fortaleza nessa cidade. Sidom situava-se há uns 42 quilômetros ao nordeste de Tiro e a uns cem quilômetros de Cafarnaum.

A cidade de Tiro era um sinônimo de paganismo; era uma cidade mal-afamada desde os tempos do Antigo Testamento, já que dessa região vinha a rainha Jezabel, que seduziu Israel para a idolatria. Os judeus consideravam os habitantes de Tiro como cães impuros.

Havia uma profecia de que chegaria um dia no qual o povo de Tiro e circunvizinhança também compartilharia das bênçãos da era messiânica (Salmos 87:4). Essa profecia começou a se cumprir quando pessoas dessa região viajaram para a Galileia para ouvirem o ensino de Jesus e serem curadas das suas enfermidades (Mateus 4:24,25; Lucas 6:17). Agora, é o próprio Jesus quem vai até eles.

Jesus está quebrando o conceito judaico da impureza. Jesus, no texto anterior, provou para os judeus que não existem alimentos impuros (Marcos 7:1-23). Agora, revela que não há pessoas impuras. Jesus entra na terra dos gentios sem ser contaminado. Jesus rejeita essa distinção e torna claro que o evangelho é para todos. A base para ser aceito por Deus não é uma questão de antecedentes étnicos, mas o relacionamento com Jesus. Aquelas cidades fenícias eram parte do reino de Israel (Josué 19:28,29), mas o que as armas não conquistaram, Jesus conquistou com o amor. Simbolicamente, essa mulher representa o mundo gentio que tão ansiosamente recebeu o Pão do céu que os judeus haviam rejeitado.

Jesus está lidando com uma mãe aflita. Esse texto nos mostra uma mãe aflita aos pés do Salvador. Mulheres como essa estão por todos os lados; elas estão aqui por trás destas páginas. Por que sofrem as mães? Pelos seus filhos! Essa mãe, embora gentia, tinha uma grande fé. Embora chegasse abatida, saiu vitoriosa.

Isso porque a fé vem da graça divina, e não da família que se tem ou da igreja que se frequenta. Charles H. Spurgeon, o príncipe dos pregadores do século 19, dizia que uma pequena fé levará a sua alma ao céu, mas uma grande fé trará o céu à sua alma. Destacaremos alguns pontos importantes sobre a vida dessa mãe que lutou para ver sua filha liberta.

1. Uma mãe intercessora tem discernimento sobre o que está acontecendo com seus filhos (Marcos 7:25,26)

Três coisas nos chamam a atenção acerca dessa mãe:

Em primeiro lugar, *ela discerne o problema que atinge sua filha* (Marcos 7:25). Essa mãe sabia quem era o inimigo da sua filha. Ela sabia que o problema de sua filha era espiritual. Ela tem consciência que existe um inimigo real que está conspirando contra a sua família para destruí-la. Peter Marshal, capelão do Senado americano, pregou um célebre sermão no Dia das Mães, como já mencionado neste livro, afirmando que elas são guardas das fontes. As mães são os instrumentos que Deus usa para purificar as fontes que contaminam os filhos. Há muita poluição intoxicando o coração dos filhos. Há muitas janelas abertas e coloridas oferecendo aos nossos filhos as taças borbulhantes dos prazeres deste mundo. São ilusões perigosas. São ofertas mentirosas. São prazeres fugazes. São ameaças mortais. A mulher siro-fenícia tem plena consciência de que sua filha está cativa de um poder espiritual maligno. Ela vê o sofrimento de sua filha. E sabe a natureza dele.

Em segundo lugar, *ela discerne a solução do problema que atinge sua filha* (Marcos 7:26). Essa mãe percebeu que o problema da sua filha não era apenas uma questão conjuntural. Não era simplesmente a questão de estudar numa escolha melhor, morar num bairro mais seguro ou ter mais conforto. Ela já tinha buscado ajuda em todas as outras fontes e sabia que só Jesus podia libertar a sua filha. Por isso, essa mãe vai a Jesus. Ela o busca. Chama-o de Filho de Davi, seu título popular, aquele que fazia milagres. Depois o chama de Senhor. Finalmente, ela se ajoelha (Marcos 7:25). Ela começa clamando e termina adorando. Ela começa atrás de Jesus e termina aos seus pés.

Em terceiro lugar, *ela discerne que pode clamar em favor da sua filha* (Marcos 7:26). A necessidade nos faz orar por nós mesmos, mas o amor nos faz orar pelos outros. Essa mãe viu a terrível condição da sua filha, viu o poder de Jesus para libertá-la e clamou com intensidade e perseverança. Ela percebeu que nenhum ensino podia alcançar a sua mente e nenhuma medicina podia sarar o seu corpo. Ela orou por quem não podia orar por si mesma e não descansou até ter sua oração respondida. Pela oração, ela obteve a cura que nenhum recurso humano poderia dar. Pela oração da mãe, a filha foi curada. Aquela menina não falou uma palavra sequer para o Senhor, mas sua mãe falou em seu favor, e ela foi liberta. Onde há uma mãe em oração, sempre há esperança.

Aquela mãe não podia dar à sua filha um novo coração, mas podia pedir a quem podia fazer esse milagre. Não podemos dar aos nossos filhos a vida eterna, mas podemos orar por eles para que se convertam. Ambrósio disse acerca de Agostinho, por quem sua mãe orou trinta anos: "Um filho de tantas lágrimas jamais poderia perecer". Mesmo quando não pudermos mais falar de Deus para nossos filhos, podemos falar dos nossos filhos para Deus!

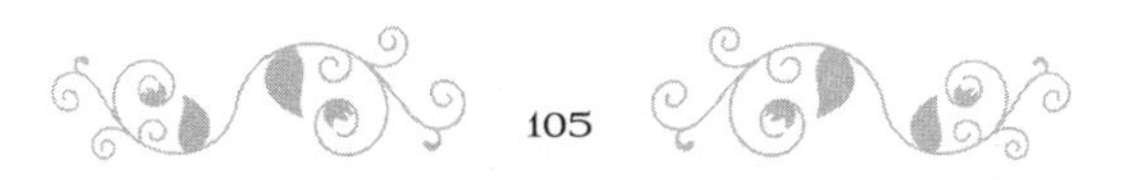

2. Uma mãe intercessora transforma a necessidade em adoração (Marcos 7:25)

Destacamos três lições:

Em primeiro lugar, *seu clamor foi por misericórdia* (Marcos 7:26). Essa mãe está aflita e precisa de ajuda. Ela pede ajuda a quem pode ajudar. Ela não se conforma em ver sua filha sendo destruída. A sua dor a levou a Jesus. Ela viu os problemas como oportunidades de se derramar aos pés do Salvador. O sofrimento pavimentou o caminho do seu encontro com Deus. Aquela mãe transformou sua necessidade em estrada para encontrar-se com Cristo. Transformou a necessidade em oportunidade de prostrar-se aos pés do Senhor. Transformou o problema no altar da adoração.

Em segundo lugar, *seu clamor foi com senso de urgência* (Marcos 7:25). Aquela mãe não perdeu a oportunidade. Aquela foi a única vez durante o ministério de Jesus que Ele saiu dos limites da Palestina e foi às terras de Tiro e Sidom. Ela não perdeu a oportunidade. As oportunidades vêm a nós e passam. É tempo de as mães clamarem a Deus pelos filhos. É tempo de as mães se unirem em oração pelos filhos. Precisamos ter um senso de urgência no nosso clamor.

Como você se comportaria se visse seu filho numa casa em chamas? Certamente teria urgência em intervir para a sua salvação. Tem você a mesma urgência para ver seus filhos salvos?

Em terceiro lugar, *seu clamor é cheio de empatia* (Mateus 15:22). O problema da filha é o seu problema. Seu clamor era: *Tem compaixão de mim; Senhor, socorre-me*. Era sua filha que estava possessa. Ela sofria como se fosse a própria filha. A dor da sua filha era a sua dor. Na verdade, ela sentia o sofrimento mais do que a própria filha. O sofrimento da filha era o seu sofrimento. A libertação da filha era a sua causa mais urgente.

3. Uma mãe intercessora está disposta a enfrentar qualquer obstáculo para ver a filha liberta (Marcos 7:27,28)

Essa mãe tem uma causa urgente e está determinada a lutar pela filha até o fim. Como Jacó, ela agarra-se ao Senhor, sem abrir mão da bênção. Ela não descansa nem dá descanso a Jesus. Essa mulher encontrou vários obstáculos em seu caminho: sua nacionalidade era contra ela — era gentia, e Jesus era judeu. Além do mais, ela era uma mulher, e a sociedade daquela época era dominada pelos homens. Satanás estava contra ela, porque um espírito imundo havia dominado a sua filha. Os discípulos estavam contra ela; eles queriam que Jesus a despedisse. O próprio Jesus aparentemente estava contra ela, quando lhe disse que fora enviado às ovelhas perdidas da casa de Israel. Essa não era uma situação fácil. Mas essa mãe não desanimou. Destacamos três

obstáculos que ela enfrentou antes de ver o milagre de Jesus acontecendo na vida da sua filha.

Em primeiro lugar, *o obstáculo do desprezo dos discípulos de Jesus* (Mateus 15:23). Os discípulos não pedem a Jesus para atender essa mãe, mas para despedi-la. Não se importaram com a sua dor, mas quiseram se ver livre dela. Eles não intercedem em favor dela, mas contra ela. Eles a desprezaram em vez de ajudá-la. Eles tentaram afastá-la de Jesus em vez de ajudá-la a se lançar aos pés do Salvador. Os discípulos foram movidos por irritação, e não por compaixão.

Em segundo lugar, *a barreira do silêncio de Jesus* (Mateus 15:23). O silêncio de Jesus é pedagógico. Há momentos em que os céus ficam em total silêncio diante do nosso clamor. Foi assim com Jó. Ele ergueu aos céus dezesseis vezes a pergunta: "Por que, Senhor?"; "Por que estou sofrendo?"; "Por que a minha dor não cessa?"; "Por que os meus filhos morreram?"; "Por que eu não morri ao nascer?"; "Por que o Senhor não me mata de uma vez?" A única resposta que ele ouviu foi o total silêncio de Deus. É mais fácil crer quando estamos cercados de milagres. O difícil é continuar crendo e orando pelos filhos quando os céus estão em silêncio, quando as coisas parecem estar indo de mal a pior.

Em terceiro lugar, *a barreira da resposta de Jesus* (Marcos 7:27,28). A metodologia de Jesus para despertar no coração dessa mulher uma fé robusta foi variada:

Primeiro, *... não fui enviado senão às ovelhas perdidas da casa de Israel* (Mateus 15:24). Foram palavras desanimadoras. Ela, porém, em vez de sair desiludida e revoltada, por causa da sua nacionalidade e educação pagã, veio e o adorou, dizendo: *Senhor, socorre-me!* Em vez de desistir de sua causa, ela adora e ora! Esse ato revelou sua humildade, reverência, submissão e ansiedade. Jesus com essas palavras estava dizendo à mulher que os judeus eram os primeiros a terem a oportunidade de aceitá-lo como Messias. Assim, Jesus não estava rejeitando essa mulher, mas testando sua fé e revelando que a fé está disponível para todas as raças e nacionalidades.

Segundo, *... não é bom tomar o pão dos filhos e lançá-los aos cachorrinhos* (Marcos 7:27). O diminutivo sugere que a referência é aos cachorrinhos que eram guardados como animais de estimação. Jesus está abrindo lentamente a porta. Ao dizer: "Deixe, primeiro, que se fartem os filhos", Ele está, pelo menos, dizendo para essa mulher sofrida que Deus não deixou de olhar para os gentios. Ela poderia muito bem ter pensado: "Se existem bênçãos aguardando os gentios no futuro, por que não receber algumas delas hoje... mesmo que isso represente uma exceção?"

Em nenhuma ocasião, o Senhor concedeu sua graça para os judeus de uma maneira que não sobrasse uma prova dela para os gentios. Nem mesmo durante a antiga dispensação as bênçãos de Deus foram limitadas

exclusivamente aos judeus. Com a vinda de Cristo, numa escala crescente, as bênçãos especiais de Deus para Israel estavam destinadas a alcançar os gentios. Depois do Pentecostes, a igreja tornou-se internacional.

Essa mãe, longe de ficar magoada com a comparação, converte a palavra desalentadora em otimismo e transforma a derrota em consagradora vitória. Essa gentia transformou a palavra de aparente reprovação — cachorrinhos — numa razão para otimismo, e por meio disso uma grande derrota tornou-se uma vitória brilhante. Ela busca o milagre da libertação da filha, ainda que isso represente apenas migalhas da graça.

4. Uma mãe intercessora triunfa pela fé e toma posse da vitória dos filhos (Marcos 7:29,30)

Duas coisas merecem destaque:

Em primeiro lugar, *Jesus elogia a fé daquela mãe* (Mateus 15:28). A mulher siro-fenícia, aqui chamada de cananeia, não apenas teve seu pedido atendido, mas também sua fé enaltecida. Não apenas a filha foi liberta, mas a mãe também foi elogiada.

Mãe, não desista de seus filhos. Eles são filhos da promessa. Eles não foram criados para o cativeiro. Lute por eles. Ore por eles. Insista com o Senhor até vê-los libertos e transformados. A fé é morta para a dúvida, surda para o desencorajamento, cega para as impossibilidades, e não vê nada, a não ser o seu triunfo em Deus.

A fé honra a Deus, e Deus honra a fé. *Ó mulher, grande é a tua fé!*

É digno de destaque que as duas vezes em que os evangelhos destacam o elogio de Jesus a alguém por sua grande fé foram em resposta à fé de pessoas gentias. É o caso da mulher siro-fenícia e do centurião romano (Mateus 8:5-13). É também digno de nota que em ambos os casos Jesus curou a distância.

George Müller disse que a fé não é saber que Deus pode; é saber que Deus quer. A fé é o elo que liga a nossa insignificância à onipotência divina. A fé conecta o altar da terra com o trono do céu. A oração une a fraqueza humana à onipotência divina. Deus age em resposta às nossas orações.

Em segundo lugar, *aquela mãe recebeu pela vitória de sua fé a libertação da sua filha* (Marcos 7:29,30). Jesus disse: *Faça-se contigo como queres.* E o texto prossegue: *E, desde aquele momento, sua filha ficou sã.* A fé reverteu a situação. O pedido foi atendido. A bênção chegou. A fé venceu.

Charles Studd disse que a fé em Jesus ri das impossibilidades. Agostinho disse que fé é crer no que não vemos, e a recompensa dessa fé é ver o que cremos.

Aquela mãe voltou para a sua casa aliviada e encontrou a sua filha liberta. Ela perseverou. Ela se humilhou. Ela adorou. Ela orou. Ela prevaleceu pela fé. A jovem aflita não orou por si mesma, mas sua mãe orou por ela.

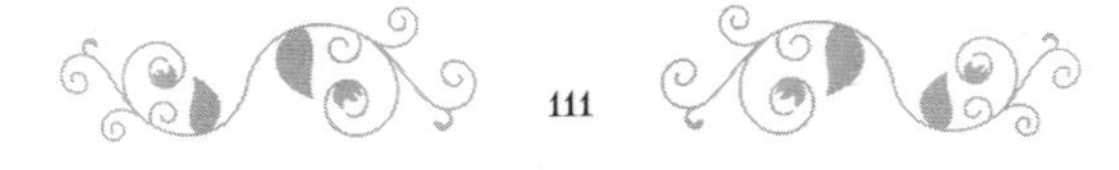

A fé da filha não foi medida, mas a de sua mãe o foi. No entanto, a cura foi para a filha. A mãe reconheceu o senhorio de Cristo e clamou: *Ajuda-me, Senhor!* Ela confessou sua necessidade e confiou em Jesus para atendê-la. As mães que oram pelos filhos podem esperar a intervenção de Deus.

Lute pelos seus filhos e ore por eles. Resista a qualquer obra do inimigo na vida dos seus filhos. Não descanse até ver os seus filhos salvos. Talvez alguns ainda estejam perdidos, fora ou dentro da igreja. Derrame-se aos pés do Senhor. E não saia até que você triunfe pela fé.

9

Deus está procurando mães que prevalecem com Ele por meio da oração

O Senhor é o que tira a vida e a dá; faz descer à sepultura e faz subir. O Senhor empobrece e enriquece; abaixa e também exalta. Levanta o pobre do pó e, desde o monturo, exalta o necessitado, para o fazer assentar entre os príncipes, para o fazer herdar o trono de glória... (1Samuel 2:6-8).

Uma mulher nunca é tão forte como quando está de joelhos diante de Deus. Pode mais que um exército de armas em punho. A oração conecta o altar da terra com o trono do céu, unindo a fraqueza humana à onipotência divina. Quando as mães, portanto, colocam-se de joelhos diante do Pai, em favor de seus filhos, coisas maravilhosas acontecem. Mães de joelhos, filhos de pé.

Grandes homens da história confessaram esse fato. O estadista americano, décimo sexto presidente dos Estados Unidos da América, Abraham Lincoln, disse que um filho nunca é pobre, se tem uma mãe que ora por ele. Disse ainda que tudo que foi na vida devia à influência benéfica de sua mãe. Dele são estas palavras: "As mãos que embalam o berço governam o mundo".

Thomas Alva Edison não encontrou acolhida na escola por causa de suas supostas dificuldades de acompanhar os demais alunos da classe. Sua mãe lhe disse para não desanimar, pois investiria nele, e de fato o fez. Esse menino cresceu para ser o maior cientista de todos

os tempos, registrando mais de mil patentes, inclusive a lâmpada elétrica.

A mãe de Ludwig van Beethoven foi aconselhada a abortá-lo, em virtude da grande possibilidade de má-formação. Ela se dispôs a correr todos os riscos. Manteve a gravidez. O menino nasceu para tornar-se um músico de qualidades superlativas. Depois de uma surdez progressiva, ficou completamente surdo e, mesmo assim, ainda compôs mais cinco sinfonias, aliás suas músicas mais excelentes.

Como já afirmei nesta obra, devo minha vida à minha mãe. Ela foi desafiada a escolher entre sua vida e a minha. Na opinião da medicina, não havia a chance de salvar a minha vida e a dela. Contudo, ela dispôs-se a dar sua vida por mim em vez de desistir de mim. Por isso, você está lendo estas páginas.

A história mostra-nos, com evidências eloquentes, quantos homens de Deus, missionários e pastores foram levantados pelo Senhor depois de anos de oração de suas respectivas mães. Agostinho, o maior expoente entre os pais da igreja, foi fruto da oração de Mônica, sua mãe, por mais de trinta anos. John Wesley foi profundamente influenciado pelas orações constantes de Susanna, sua mãe. O pioneiro do presbiterianismo no Brasil, Ashbel Green Simonton, foi consagrado pela sua mãe e pelo seu pai para ser um missionário, e em 1859 ele chegou ao Rio de Janeiro, vindo da América,

para plantar em solo pátrio essa abençoadora igreja, a Igreja Presbiteriana do Brasil. O eminente missionário Ronaldo de Almeida Lidório, um dos príncipes de nosso tempo, é fruto das orações constantes de sua mãe, Euza Lidório.

Nessa mesma linha de pensamento, convido você a examinar cuidadosamente o texto de 1Samuel 1:1-28 para identificarmos dez marcas de uma mãe que prevaleceu pela oração.

Ana orou a Deus numa época espiritualmente hostil

Ana viveu no período dos juízes, um dos períodos mais turbulentos na história de Israel. Esse tempo começa logo depois do período da conquista da terra prometida. Foram cerca de 330 anos de instabilidade política, econômica, moral e espiritual. Somos informados de que os filhos daquela geração que conquistou a terra prometida não conheciam mais a Deus (Juízes 2:10,11). Cada um fazia o que achava certo (Juízes 21:25). Até mesmo a classe sacerdotal dos dias de Ana estava vivendo de forma escandalosa (1Samuel 2:12).

Ana é uma ilha de piedade num mar de apostasia. Ela busca a Deus quando sua nação mergulha num caudal de esfriamento espiritual. Ela espera de Deus um milagre quando a religiosidade de sua nação está levedada pelo fermento da corrupção no próprio sacerdócio. Ana não tem nenhum estímulo em sua liderança espiritual para orar, mas ela ora. Ela não vê exemplos de oração

à sua volta, mas ela ora. Ela sente o vento gelado da apostasia soprando ao seu redor, mas ela intensifica sua intimidade com Deus.

Ana orou a Deus numa época culturalmente decadente

A poligamia estava em voga nos dias de Ana (1Samuel 1:1,2). Seu marido tinha duas mulheres. A cultura estava divorciada dos valores estabelecidos por Deus para o casamento (Gênesis 2:24). A poligamia nunca foi o propósito de Deus para a família. Tanto a poliginia (um homem ter mais de uma mulher) como a poliandria (uma mulher ter mais de um homem) estão fora do propósito de Deus para o casamento. Por causa da decadência da cultura, homens de Deus tiveram mais de uma mulher, como, por exemplo, Abraão, Jacó, Davi e Salomão, porém esse nunca foi o plano original de Deus para a família. O princípio da criação deixa claro a monogamia. Casamento é a união entre um homem e uma mulher (Gênesis 2:24). Quando a lei moral foi dada no Sinai, mesmo num tempo em que Israel estava cercado de povos poligâmicos, Deus referendou o princípio monogâmico da criação (Êxodo 20:17).

A poligamia oprime as mulheres, desvaloriza o casamento, fragmenta a família e promove guerra entre os filhos. É nesse tempo de opressão cultural que Ana busca a Deus em oração. Mesmo sofrendo os esbarros

de uma cultura decadente, ela não arrefece seu ânimo, ela não desiste de orar e de esperar um milagre de Deus em sua vida.

Ana orou a Deus mesmo sofrendo humilhações de sua rival

Elcana, marido de Ana, tinha outra mulher chamada Penina. Ana era estéril, porém Penina tinha filhos. Ana era amada por Elcana, mas seu ventre era estéril. Em virtude disso, Penina, sua rival, a provocava excessivamente para a irritar. Sobretudo, quando Ana subia à casa de Deus, Penina a irritava a tal ponto que Ana chorava, perdia o apetite e entrava em depressão (1Samuel 1:6,7).

Eu não sei exatamente o que Penina dizia a Ana, mas de uma coisa tenho certeza: ela não era uma mulher de Deus, uma vez que gente de Deus não vive para infernizar as pessoas. Gente de Deus é bálsamo. Gente de Deus alivia tensões. À luz de 1Samuel 1:6,7 tenho a impressão de que Penina devia dizer o seguinte a Ana: "Ana, você é uma mulher tão crente, ora tanto, vai tanto ao templo, mas está aí estéril. Eu não oro como você, nem vou ao templo como você, mas estou aqui cheia de filhos. Se esse negócio de orar funcionasse mesmo, você não estaria aí curtindo o opróbrio da esterilidade".

Penina quer plantar no coração de Ana a semente venenosa da desconfiança na providência divina.

Mesmo os crentes mais piedosos enfrentam aflições na vida. Às vezes, a Providência é carrancuda. Não estamos blindados. Não vivemos num parque de diversões. Ana não perdeu sua disposição de orar, a despeito das humilhações. Longe de desistir de seu sonho, ela intensificou ainda mais suas súplicas diante de Deus.

O texto bíblico nos informa que a esterilidade de Ana não é uma maldição hereditária nem resultado de um pecado pessoal. A doença de Ana não é uma ação do maligno nem um descuido com sua saúde pessoal. Foi Deus quem a deixou estéril (1Samuel 1:5). Foi Deus quem cerrou a sua madre (1Samuel 1:6). É o próprio Deus quem está adiando o seu sonho, para ensinar a ela que Ele, e não um filho, deveria ocupar o primeiro lugar em seu coração. Deus está adiando o seu sonho, ainda, para mostrar a ela que os filhos vêm de Deus, são de Deus e devem ser devolvidos a Deus (1Samuel 1:27,28).

Ana orou a Deus mesmo sendo desencorajada pelo seu marido

O texto bíblico é meridianamente claro em nos dizer que Elcana amava a Ana e dava a ela porção dupla (1Samuel 1:5). Embora Elcana fosse um marido amoroso e provedor, ele não se uniu à sua mulher em suas súplicas a Deus. Mesmo sabendo que Deus, no passado, havia curado Sara e Rebeca da esterilidade, havia muito

tempo que não testemunhava mais nenhum milagre dessa natureza. Talvez Elcana fosse um homem muito racional para abrir espaço em sua agenda para a possibilidade de um milagre. Ele não somente não acompanha sua mulher em suas orações, mas chega mesmo a desencorajá-la de esperar de Deus um milagre.

Houve um dia em que Elcana chamou sua mulher para uma conversa. Eis o que ele disse a ela: "Então, Elcana, seu marido, lhe disse: Ana, por que choras? E por que não comes? E por que estás de coração triste? Não te sou eu melhor do que dez filhos?" (1Samuel 1:8). Elcana está jogando um balde de água fria no fervor espiritual de sua mulher. Está laborando contra seus sonhos. Quer induzi-la a desistir de seu projeto de ser mãe. Superdimensiona a si mesmo e sublima o instinto de maternidade de sua mulher. Se fosse hoje, diria para ela: "Ana, pense em mim, chore por mim, liga pra mim, não, não liga pra ele". A despeito de ser humilhada pela rival e de ser desencorajada pelo marido, Ana continua orando ao Senhor, esperando dele uma intervenção sobrenatural.

Ana orou a Deus mesmo sendo acusada injustamente dentro do templo pelo sacerdote

Ana estava com seu marido mais uma vez em Siló. Ali ficava o templo do Senhor. Ali viviam os sacerdotes. Ela aproveita esse tempo para buscar a face

de Deus em oração. Ela orou com amargura de alma (1Samuel 1:10a). Orou com lágrimas abundantes (1Samuel 1:10b). Orou com perseverança e insistência (1Samuel 1:12). Orou com seu espírito atribulado (1Samuel 1:15). Orou com excesso de ansiedade e aflição (1Samuel 1:16). O sacerdote Eli não ora com ela, mas a observa. Não se identifica com sua dor, mas a julga. Não enxuga as suas lágrimas, mas a censura. Não balsama sua alma atribulada, mas a acusa (1Samuel 1:13,14).

Ana é chamada de bêbada dentro do templo (1Samuel 1:14). O pai dos filhos de Belial (1Samuel 2:12) chama Ana de filha de Belial (1Samuel 1:16). Ela, porém, não hospeda no coração essas palavras injustas. Não permite que essas flechas cheias de veneno azedem seu coração. Ela não perde seu foco. Continua orando e aguardando de Deus um milagre, ainda que seja mal interpretada, na casa de Deus, pelo homem de Deus.

Ana creu na Palavra do Senhor mesmo antes de ver a mudança das circunstâncias

O mesmo sacerdote que abrira a boca e falara uma tolice para Ana, chamando-a de bêbada, agora abre a boca e é um profeta de Deus. Ele diz para ela: *Vai-te em paz, e o Deus de Israel te conceda a petição que lhe fizeste* (1Samuel 1:17). A mesma Ana que não acolheu as palavras insensatas de Eli abriga agora em seu coração

essas palavras de bênção. Eli agora não exerce um juízo temerário, mas é um instrumento de Deus para trazer uma palavra de Deus àquela mulher aflita. Ana creu na promessa e experimentou duas curas extraordinárias.

A primeira cura foi emocional. Está escrito que Ana respondeu a Eli nestes termos: "E disse ela: Ache a tua serva mercê diante de ti. Assim, a mulher se foi seu caminho e comeu, e o seu semblante já não era triste" (1Samuel 1:18). O semblante de Ana mudou ao crer na promessa da palavra de Deus. Um brilho novo irradiou em sua face. A tristeza bateu em retirada, e a depressão foi embora. Ela creu, por isso tomou posse da vitória antes mesmo da cura chegar.

A segunda cura de Ana ocorreu em Ramá (1Samuel 1:19,20). Ela voltou com seu marido para casa, e ele coabitou com ela. Deus se lembrou dela, ela concebeu e deu à luz um filho, a quem chamou Samuel. Em Siló, Deus curou sua alma, e em Ramá Deus curou seu ventre. Em Siló, Deus curou as suas emoções, e em Ramá Deus curou o seu corpo. Em Siló, ela creu, e em Ramá ela concebeu. Em Siló, ela tomou posse da cura pela fé, e em Ramá o milagre aconteceu. Deus vela sobre a sua palavra para a cumprir. Nenhuma de suas promessas cai por terra. Não devemos esperar ver para crer; devemos crer para ver. A fé precede o milagre, e o milagre é a recompensa da fé. A fé vê o invisível, toca o intangível e toma posse do impossível.

Ana consagrou seu filho a Deus mesmo antes de ele ser concebido

Ana pede um filho a Deus não para si, mas para Deus (1Samuel 1:11). Ela quer um filho não para fazer dele um ídolo, mas para consagrá-lo ao Senhor. Ela não tem o propósito de ficar gravitando em torno do seu filho, mas quer consagrá-lo para o serviço de Deus. Ela entende que os filhos vêm de Deus, são de Deus e devem ser consagrados de volta a Deus (1Samuel 1:27,28). Ana consagra o filho a Deus antes mesmo de ele nascer. Promete entregá-lo não por alguns dias, enquanto está embalada pelas emoções, mas por todos os dias da sua vida. Promete ainda dedicá-lo a Deus como um nazireu, como alguém totalmente dedicado à obra de Deus (1Samuel 1:11).

Quando Ana engravida e dá a luz Samuel, cria-o no peito e assume o compromisso de apresentá-lo no templo, em cumprimento de seu voto, e lá deixá-lo para o serviço do Senhor para sempre (1Samuel 1:22). De fato, isso ocorreu. Tão logo Samuel foi desmamado, Ana o levou a Eli e entregou seu filho a ele, na casa de Deus, para lá ficar todos os dias de sua vida (1Samuel 1:28).

Ana faz um voto a Deus (1Samuel 1:11) e o cumpre cabalmente (1Samuel 1:28). Ela foi perseverante no seu pedido a Deus e foi fiel a Ele no cumprimento de seu voto. Ela pediu um filho a Deus e depois o consagrou de volta para Deus.

Ana entregou seu filho a Deus mesmo diante de problemas humanamente insuperáveis

Ana poderia argumentar com Deus, ao levar seu filho Samuel a Siló, que Eli já estava muito velho para cuidar de uma criança. Além do mais, seus dois filhos Hofni e Fineias eram filhos de Belial e não se importavam com o Senhor (1Samuel 2:12). Os pecados dos filhos de Eli eram muito grandes diante do Senhor, porque eles desprezam a oferta do Senhor (1Samuel 2:17). Os filhos de Eli eram sacerdotes, mas tinham uma vida errada. Eles eram adúlteros (1Samuel 2:22). Eli ouvia o povo todo comentando acerca do mau procedimento de seus filhos (1Samuel 2:23). Aqueles moços tinham uma fama péssima e faziam o povo transgredir (1Samuel 1:24). Os filhos de Eli não ouviam os conselhos do pai (1Samuel 1:25). Eli perdeu a autoridade espiritual sobre seus filhos, porque os honrava mais do que ao Senhor (1Samuel 2:29). Eli era um pai conivente com os pecados de seus filhos. Não os disciplinou, e eles se tornaram um laço de morte para a nação (1Samuel 3:13).

Ana poderia argumentar que o ambiente era muito hostil para cumprir seu voto e deixar seu filho aos cuidados de homens tão perigosos. Mas ela confiou no Senhor. Visitava seu filho anualmente e levava-lhe presentes (1Samuel 2:19). Deus honrou a Ana, e Samuel crescia diante do Senhor (1Samuel 2:21). O jovem Samuel servia ao Senhor perante Eli (1Samuel 3:1).

Todo o Israel, desde Dã, ao norte, até Berseba, ao sul, conheceu que Samuel estava confirmado como profeta do Senhor (1Samuel 3:20). Na verdade, continuou o Senhor a aparecer em Siló, enquanto por sua palavra o Senhor se manifestava ali a Samuel (1Samuel 3:21).

Samuel tornou-se o maior profeta, o maior juiz e o maior sacerdote de Israel. Sua mãe honrou a Deus consagrando-o, e Deus honrou a Ana, usando poderosamente o seu filho. Aliás, o próprio Senhor disse a Samuel: "... aos que me honram, honrarei, porém os que me desprezam serão desmerecidos" (1Samuel 2:30).

Ana se alegra em Deus, e não em seu filho Samuel

Ana desejou ardentemente ser mãe e, por essa razão, orou corajosamente, perseverantemente, esperançosamente. Mas, quando seu filho nasce, ela despeja em catadupas torrentes de ações de graças a Deus, alegrando-se em Deus, e não em seu filho. Ana anseia ser mãe, mas sua alegria maior não está na maternidade nem mesmo no filho, mas em Deus. Seu cântico expressa isso: "Então, orou Ana e disse: O meu coração se regozija no Senhor, a minha força está exaltada no Senhor..." (1Samuel 2:1).

Ana orou com instância a Deus e derramou sua alma diante dele, mas sempre aceitou a soberania de Deus em sua vida. Ela disse: "O Senhor é o que tira a vida e a dá; faz descer à sepultura e faz subir. O Senhor empobrece e enriquece; abaixa e também exalta. Levanta o pobre do pó e, desde o monturo, exalta o necessitado, para o fazer assentar entre os príncipes, para o fazer herdar o trono de glória..." (1Samuel 2:6-8).

Ana entendeu que os filhos são dádivas de Deus, mas não um substituto de Deus. Eles nos trazem grande alegria, mas Deus é a fonte da nossa maior alegria. Eles são herança de Deus a quem devemos ensinar no caminho em que devem andar. Eles são como flechas nas mãos do guerreiro que devemos carregar e lançar no alvo certo, mas Deus continua sendo nossa maior fonte de excelso prazer.

Ana recebeu de Deus mais do que a Ele pediu

Ana pediu a Deus um filho (1Samuel 1:11), e Deus atendeu-lhe a petição (1Samuel 1:17,27). Mas, porque Ana consagrou seu filho a Deus, Eli ora em seu favor para que ela tenha mais filhos. E Deus concedeu a Ana o privilégio de gerar mais três filhos e duas filhas (1Samuel 2:18-21). Penina, a sua rival, a provocava porque tinha filhos e Ana não os tinha (1Samuel 1:2,6). Agora, Deus recompensa Ana dando-lhe filhos e filhas. Está escrito: "Abençoou, o Senhor a Ana, e ela concebeu e teve três filhos e duas filhas..." (1Samuel 2:21).

Deus surpreende e excede. Ele pode fazer mais, muito mais, infinitamente mais. O filho de Ana, Samuel, foi o homem mais importante de sua geração. Foi íntegro do começo ao fim. Orou pelo povo e pregou ao povo com fidelidade. Seu exemplo reverbera ainda hoje.

Sua vida tem inspirado milhões de pessoas de geração em geração.

Entenda, portanto, que, se suas orações ainda não foram atendidas e se seus sonhos ainda estão sendo adiados, é porque Deus está preparando algo maior e melhor para a sua vida. Persevere em oração!

Conclusão

Deus está procurando mães intercessoras, pais intercessores, reparadores de brechas, guerreiros de oração, gente que não abre mão de ver os filhos salvos, cheios do Espírito e usados valorosamente pelo Senhor. Certamente essa é uma nobilíssima missão. Na verdade, a maternidade e a paternidade constituem uma das mais sublimes missões da humanidade e uma das mais complexas. Há muitos homens e mulheres que ganharam notoriedade na sociedade e perderam seus filhos. Galgaram os degraus da fama e do sucesso e sofreram derrotas fragorosas dentro do lar. Há aqueles também que jamais subiram ao pódio da fama, mas construíram famílias sólidas e edificaram relacionamentos saudáveis dentro do lar. A Bíblia aponta vários exemplos de homens que foram grandes líderes e tornaram seu nome célebre, alcançaram vitórias retumbantes contra seus inimigos e figuram entre os nobres na constelação dos grandes deste mundo, mas fracassaram rotundamente no campo da família. Homens como Isaque, Davi e Josafá são enaltecidos ainda hoje pelas

suas virtudes e conquistas fora dos portões da família, mas sofreram derrotas amargas no contexto familiar.

Ser pai ou mãe não é uma missão simples. Essa missão exige preparo, análise, avaliação e inteira dependência de Deus. Temos não apenas o privilégio de gerar filhos, mas também a responsabilidade de educá-los. A educação dos filhos é um investimento que exige compromisso, coerência e muito trabalho. A Bíblia diz que devemos ensinar os filhos, sobretudo com o exemplo. Devemos fazê-lo com perseverança e criatividade. Dentre várias áreas vitais na educação dos filhos, destacamos três indispensáveis:

Primeiro, *os pais e as mães precisam cuidar da formação moral dos filhos*. Hoje vivemos numa sociedade profundamente influenciada pelo pós-modernismo. A pós-modernidade traz no seu bojo três tendências perigosas: a pluralidade, a privacidade e a secularização. Vivemos num mundo onde há muitas ideias, conceitos e valores. O mundo cada vez mais rejeita a ideia de uma verdade absoluta. Os padrões morais graníticos e absolutos são considerados extremos fundamentalistas e radicais.

O mundo pós-moderno é uma grande arca que abriga toda sorte de pensamentos, religiões e filosofias. Acabou-se a ideia do conflito, da apologética, da discussão. Cada pessoa tem espaço para viver a sua crença, a sua filosofia de vida, o seu padrão moral. Nesse contexto, os pais não interferem na vida dos filhos. Cada um tem uma vida autônoma.

A ética pós-moderna é profundamente privativa. Cada um vive a sua vida sem ter de prestar contas a ninguém. Não existe um código de ética com valores absolutos. Cada um tem a sua verdade, os seus princípios e os seus valores. A ética é individual e privativa. Assim, no conceito pós-moderno, os pais não têm o direito de interferir na conduta dos filhos, não têm o direito de impor-lhes um padrão de conduta. As pessoas passam a viver dentro da mesma casa, debaixo do mesmo teto, mas sem nenhum comprometimento, aliança ou sentimento de pertencimento.

Também prevalece na cultura pós-moderna a secularização. O homem é o centro de todas as coisas. Tudo deve girar em torno do homem, para agradá-lo e para promover o seu prazer imediato. Não há espaço para Deus nem para a sua verdade.

Nesse ambiente confuso, os pais cristãos precisam voltar-se para a Palavra de Deus, a verdade infalível, inerrante e suficiente para forjar o caráter de seus filhos. Nossos filhos precisam ter caráter no meio de uma geração onde a corrupção trafega desde as mais altas cortes até as choupanas mais pobres. Precisam aprender a ser verdadeiros no meio de uma geração que tem vergonha de ser honesta. Precisam aprender a prática da justiça onde os escândalos de toda ordem são a principal

atração dos meios de comunicação de massa. Precisam aprender a amar, mesmo num mundo marcado pelo ódio e pelas guerras. Construir o caráter dos nossos filhos é mais importante do que construir impérios. Nossos filhos precisam mais de ensino e sabedoria do que de fortunas. O bom nome vale mais do que riquezas.

Segundo, *os pais e as mães precisam cuidar da vida espiritual dos filhos*. Nossa sociedade está profundamente secularizada. O ter está se tornando mais importante do que o ser. Os pais e as mães investem muito na formação intelectual e profissional dos filhos, mas, em geral, os deixam órfãos na área espiritual. Três coisas são essenciais na formação espiritual dos filhos.

1. *Os pais e as mães precisam ensinar seus filhos a amar e a temer a Deus de todo o coração*. O único antídoto que pode proteger os jovens da sedução do mundo e das paixões da mocidade é o amor a Deus. José do Egito resistiu à sedução da mulher de Potifar, porque ele entendeu que a infidelidade é um pecado contra Deus. A consciência de que a maior malignidade do pecado é atentar contra a santidade de Deus é o que nos livra dos laços do pecado.
2. *Os pais e as mães precisam ser modelos para os seus filhos*. Não ensinamos apenas com palavras, mas, sobretudo, com exemplo. Um exemplo vale mais do que mil palavras. O exemplo não é apenas uma

forma de ensinar, mas a única forma eficaz de fazê-lo. Os pais e as mães precisam ser coerentes. Eles precisam viver o que ensinam e ensinar o que vivem. Eles precisam ser o espelho de seus filhos. O espelho é mudo, mas é eloquente.

3. *Os pais e as mães precisam orar pelos seus filhos.* Os pais são sacerdotes do lar. Eles devem não apenas falar de Deus para os seus filhos, mas, sobretudo, falar de seus filhos para Deus. Eles devem constantemente apresentá-los ao trono da graça. Eles devem interceder por eles, chorar por eles, jejuar por eles e jamais abrir mão de vê-los como coroa de glória nas mãos do Senhor. De nada adianta os pais ganharem o mundo inteiro e perder os seus filhos. A herança de Deus na vida dos pais não é dinheiro, riqueza ou fama, mas os filhos. Precisamos criar os nossos filhos para a glória de Deus. Eles devem ser mais filhos de Deus do que nossos. Nenhum sucesso compensa o fracasso dos filhos.

Finalmente, *os pais e as mães precisam cuidar da vida relacional dos filhos*. É triste constatar que há conflitos de geração dentro da família. Os pais não conseguem falar a linguagem dos filhos. Os filhos não conseguem compreender os seus pais. Há intransigência, indiferença e distância nos relacionamentos dentro do lar. Em vez de ser um lugar onde a fragrância do amor e o

perfume da harmonia prevalecem, o lar tem sido, muitas vezes, uma arena de brigas e um picadeiro de agressões veladas, verbais e até físicas. A comunicação precisa ser restabelecida no relacionamento entre os pais e os filhos. O coração dos pais precisa ser convertido ao coração dos filhos, e o coração dos filhos, a seus pais. Os pais precisam ser sensíveis às necessidades emocionais dos filhos. Precisam aprender a ouvi-los. Precisam construir pontes de amizade a fim de que os filhos encontrem neles apoio, encorajamento e compreensão. O lar precisa ser um lugar de refúgio, e não um campo de batalhas e contendas. Os pais precisam aprender a falar com os seus filhos. Falar a verdade em amor. Falar na hora certa, com a motivação certa, com o tom de voz certo. Os pais precisam disciplinar os seus filhos com brandura, coerência e espírito de amor e mansidão. Não devem provocá-los à ira, mas incentivá-los, ensiná-los e abençoá-los. Os pais precisam ser presentes e participativos na vida dos filhos. Eles precisam ser seus melhores amigos, ajudando-os a chegar à maturidade física, emocional, moral e espiritual. Deus está procurando pais e mães segundo o seu coração, pais e mães intercessores, que amem a seus filhos, que lutem por eles, que vivam para eles e os ensinem a viver para a glória de Deus.

Sobre o autor

Hernandes Dias Lopes é bacharel em Teologia pelo Seminário Presbiteriano do Sul (Campinas, SP) e doutor em Ministério pelo Reformed Theological Seminary (Jackson, Mississippi, EUA). Compõe a equipe pastoral da Primeira Igreja Presbiteriana de Vitória (ES), desde 1985, e é pastor colaborador da Igreja Presbiteriana de Pinheiros (São Paulo, SP). É conferencista, escritor com mais de 150 títulos publicados — alguns dos quais traduzidos para outros idiomas, como espanhol, italiano e alemão — e diretor executivo do ministério Luz Para o Caminho (Campinas, SP). É membro da Academia Evangélica de Letras do Brasil. É marido de Udemilta, pai de Thiago e Mariana e avô de Bento.

Minhas Intercessões

DATA: ___ /___ /___

Motivo de Oração

DATA DA RESPOSTA: ___ /___ /___

DATA: ___ /___ /___

Motivo de Oração

DATA DA RESPOSTA: ___ /___ /___

DATA: ___ /___ /___

Motivo de Oração

DATA DA RESPOSTA: ___ /___ /___

DATA: ___ /___ /___

Motivo de Oração

DATA DA RESPOSTA: ___ /___ /___

Minhas Intercessões

Data: ___ /___ /___

Motivo de Oração

Data da resposta: ___ /___ /___

Data: ___ /___ /___

Motivo de Oração

Data da resposta: ___ /___ /___

Data: ___ /___ /___

Motivo de Oração

Data da resposta: ___ /___ /___

Data: ___ /___ /___

Motivo de Oração

Data da resposta: ___ /___ /___

Minhas Intercessões

Data: ___ /___ /___

Motivo de Oração

Data da resposta: ___ /___ /___

Data: ___ /___ /___

Motivo de Oração

Data da resposta: ___ /___ /___

Data: ___ /___ /___

Motivo de Oração

Data da resposta: ___ /___ /___

Data: ___ /___ /___

Motivo de Oração

Data da resposta: ___ /___ /___

Minhas Intercessões

DATA: ___ /___ /___

Motivo de Oração

DATA DA RESPOSTA: ___ /___ /___

DATA: ___ /___ /___

Motivo de Oração

DATA DA RESPOSTA: ___ /___ /___

DATA: ___ /___ /___

Motivo de Oração

DATA DA RESPOSTA: ___ /___ /___

DATA: ___ /___ /___

Motivo de Oração

DATA DA RESPOSTA: ___ /___ /___

Minhas Intercessões

Data: ___ /___ /___

Motivo de Oração

Data da resposta: ___ /___ /___

Data: ___ /___ /___

Motivo de Oração

Data da resposta: ___ /___ /___

Data: ___ /___ /___

Motivo de Oração

Data da resposta: ___ /___ /___

Data: ___ /___ /___

Motivo de Oração

Data da resposta: ___ /___ /___

Minhas Intercessões

Data: ___ /___ /___

Motivo de Oração

Data da resposta: ___ /___ /___

Data: ___ /___ /___

Motivo de Oração

Data da resposta: ___ /___ /___

Data: ___ /___ /___

Motivo de Oração

Data da resposta: ___ /___ /___

Data: ___ /___ /___

Motivo de Oração

Data da resposta: ___ /___ /___

Minhas Intercessões

Data: ___ /___ /___

Motivo de Oração

Data da resposta: ___ /___ /___

Data: ___ /___ /___

Motivo de Oração

Data da resposta: ___ /___ /___

Data: ___ /___ /___

Motivo de Oração

Data da resposta: ___ /___ /___

Data: ___ /___ /___

Motivo de Oração

Data da resposta: ___ /___ /___

Sua opinião é importante para nós.

Por gentileza, envie-nos seus comentários pelo e-mail:

editorial@hagnos.com.br